# CUENTOS Y LEYENDAS
# ARGENTINOS

# CUENTOS Y LEYENDAS ARGENTINOS

*Selección y prólogo de*

**Roberto Rosaspini Reynolds**

Ediciones Continente

**Corrección:** Susana Rabbufeti
**Diseño de cubierta:** Mario Blanco
**Diseño de interior:** Mora Digiovanni
**Ilustraciones de interior:** Fernando Molinari

| | |
|---|---|
| 398.2<br>ROS | Rosaspini Reynolds, Roberto<br>Cuentos y leyendas argentinos<br>   1ª ed. - Buenos Aires<br>   Ediciones Continente, 1999<br>   160 p.; 23x15 cm<br><br>   ISBN 950-754-066-0<br><br>   I. Título - 1. Literatura Folklórica Argentina |

1ª **edición:** noviembre de 1999
2ª **edición:** octubre de 2000
3ª **edición:** noviembre de 2002

Libro de edición argentina

© by ⊜diciones Continente S.R.L.

Pavón 2229
(1248) Buenos Aires, Argentina
Tels.: (54-1) 308-3535 Fax: (54-1) 308-4800
e-mail: ventas@edicontinente.com.ar

IMPRESO EN LA ARGENTINA
PRINTED IN ARGENTINA

Queda hecho el depósito que marca la ley 11.723

Este libro se terminó de imprimir en los Talleres Gráficos Color Efe
Paso 192, Avellaneda, Buenos Aires, Argentina
en el mes de noviembre de 2002.

# INDICE

## Región Cuyana o Andina Central

## Región Pampeana o Pampa Húmeda

## Región Patagónica

# ACERCA DE ESTE LIBRO

Para un mejor ordenamiento del contenido de este libro, he determinado dividir el territorio argentino (quizás algo arbitrariamente, si se me permite la libertad) de acuerdo con una serie de regiones poco convencionales, basadas fundamentalmente en dos conceptos coincidentes: las áreas de difusión de las leyendas (que a su vez se determinan por los puntos de recopilación) y las áreas aproximadas de asentamiento de las distintas tribus nativas que directa o indirectamente, han dado origen a esas leyendas.

Sin embargo, es preciso aclarar que ni las áreas de expansión de las leyendas, ni la distribución de los asentamientos aborígenes –tanto en Argentina como en ningún otro lugar del mundo– pueden acotarse en forma estricta, del mismo modo como resulta imposible evitar que las aves emigren o que los animales terrestres y los hombres cambien sus querencias por motivos estrictamente naturales o por alteraciones (espontáneas o provocadas) del entorno.

En nuestro país, específicamente, existe un marcado disenso entre los arqueólogos, los antropólogos y los descendientes de aborígenes, acerca de las zonas de radicación y asentamiento de las distintas tribus, en gran parte debido a la confusión creada por el nomadismo intrínseco a las etnias indígenas argentinas; en segundo lugar, por la continua fusión entre tribus de distintos orígenes, y en tercero, por los éxodos forzados que provocaron los acosos y las persecuciones, primero por la irrupción *inka* en los Andes septentrionales y centrales, y segundo, por las cruentas invasiones "colonizadoras", tanto la española como, posteriormente, la "conquista del desierto" impulsada por los gobiernos poscoloniales.

Como emergente de todos estos factores, es posible encontrar leyendas similares en lugares muy apartados unos de otros, como la del *kakuy*, el *Karaú* y el crespín, básicamente similares, aunque recopiladas en regiones diferentes, e incluso otras que, bajo los mismos o distintos nombres y personajes, se han extendido a todas las regiones habitadas por sus protagonistas que, en algunas ocasiones, abarcan la totalidad del territorio nacional, como en los casos del quirquincho y la iguana, por mencionar sólo un par de ellos. Un caso típico es, por ejemplo, el de La Salamanca, cuyas manifestaciones más populares se encuentran en la Región Central, en la zona de Santiago del Estero, pero cuya leyenda se encuentra presente también en Mendoza, Entre Ríos, Santa Fe, Neuquén, Salta y Catamarca, y se concreta en Jujuy en el cerro Huáncar, cuyas características geográficas sincretizan, en su paisaje alienígena y los infrahumanos sonidos que el viento extrae de sus picachos torturados, el perfecto entorno para que el Bien y el Mal radiquen allí el epicentro de su lucha inveterada.

A estas leyendas que geográficamente abarcan varias regiones, nos referiremos con mayor detalle en los lugares donde han sido recogidas con más frecuencia, con las correspondientes referencias a otras variantes locales, según vayan surgiendo.

Con respecto a las narraciones, cuentos, relaciones y sucedidos (a lo largo del texto iremos desglosando, con ejemplos, la diferencia entre cada uno de estos niveles), la mayoría de ellos han sido recogidos directamente en sus lugares de mayor difusión, en cuyo caso damos los nombres de sus narradores, si están disponibles, o al menos sus señas, mientras que, en los casos de recopilaciones ajenas, se mencionan las fuentes autorales, y las populares sólo cuando los seleccionadores así lo consignan y lo aprueban.

Otra decisión tomada unilateralmente fue la de respetar los nombres nativos que las distintas tribus y etnias se aplicaban a sí mismas, u optar por las deformaciones y apelativos despectivos (más conocidos) que les endilgaron las hordas invasoras; finalmente, se decidió mencionar las denominaciones extranjeras sólo a título informativo, por lo que los "onas" serán para nosotros los *selk'nam*, los "matacos" *wichi*, los "patagones" *tehuelche*, etc. A su vez, esto trae aparejado que algunos de los nombres de tribus y lugares parezcan estar en singular, como *mapuche, tehuelche, pehuenche, yamaná, guaraní*, etc., pero esto es porque se ha respetado el plural implícito de su lengua de origen.

Siguiendo esta tendencia, y dado que en los textos recogidos de fuentes populares abundan los términos localistas, se han preferido conservar, dentro de lo posible, el clima y el ambiente regionales, por lo que los términos autóctonos se mencionan, cuando es posible, en la lengua original, traduciéndolos mediante llamadas numeradas agrupadas por leyenda, [1], [2], etc. Por similares razones se ha intentado una transcripción fonética lo más ajustada posible a los giros regionales de los narradores, cuya grafía es, en algunos casos, necesariamente sólo aproximativa (por ej.: "endispués" por después, "jue" por fue, "vi'a" por voy a, etcétera).

También puede resultar algo extraño que algunas leyendas se extiendan a lo largo de varias páginas, mientras otras se resuelven en una o poco más; esto se debe a dos razones fundamentales: la primera de ellas, obviamente, tiene que ver con el contenido de la historia y los personajes que intervienen en ella, y la segunda depende básicamente del narrador original, ya que no he querido extractar ni ampliar nada de lo que fue recogido de las fuentes populares,

## Algunos apuntes sobre la distribución etnográfica

También consideramos necesario refrescar los conocimientos de los lectores, delineando un muy sucinto panorama etnográfico nacional, extractado de los estudios de algunos de los más difundidos autores nacionales y extranjeros. Para ello incluimos en el mapa que cierra esta introducción, la ubicación y extensión aproximada de las regiones asignadas en el texto a las distintas etnias y a la difusión de las leyendas Como complemento, al comienzo de cada Región figura un detalle de ésta, consignando el lugar de asentamiento de las tribus más importantes entre las que la habitaron o aún viven en ellas.

**Nota:**
Queremos destacar nuestro especial y muy sincero agradecimiento a la Sra. Susana Dillon, quien nos concedió su permiso para la reproducción literal de cuatro leyendas recopiladas y reelaboradas por ella misma; éstas son: "¡Laguna voladora, la de Suco!", "El origen del maní", "El espantoso monstruo de la laguna" y "Encuentros cercanos con los *tinguiritas*".

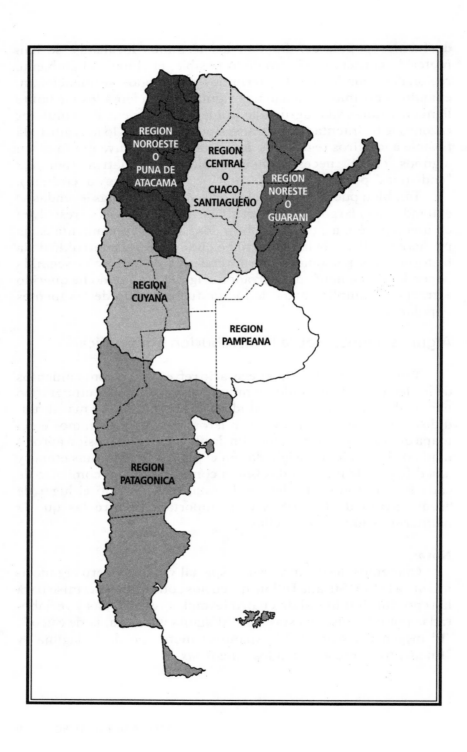

# LA ARGENTINA MITICA:
## algunos conceptos preliminares

El hombre que se halla en contacto con la naturaleza y, sobre todo, con sus tradiciones ancestrales, no tiene ninguna dificultad, ni alberga ninguna duda, para distinguir entre una leyenda y un cuento, narración, "sucedido", "relación" y otras manifestaciones similares, ya sean ficciones o hechos auténticos. La leyenda involucra en sí misma los mitos trascendentales, originados en las raíces mismas de la cosmogonía[1] de cada etnia, y atesora en su interior los misterios de su antigua sabiduría.

Los orígenes de una leyenda pueden ser variados, pero los más frecuentes son los siguientes:

• La visión cosmogónica de quienes la generan, y mediante la cual intentan explicar todo cuanto sucede a su alrededor, que controla su medio ambiente, determina su comportamiento y establece el devenir de los acontecimientos. Estos sucesos suelen a menudo entretejerse con circunstancias relacionadas con distintos tiempos, espacios y dimensiones, cuando no adjudica al hecho involucrado una atemporalidad que lo hace trascender más allá de lo humano y lo cotidiano.

Como ejemplo se pueden mencionar las distintas (si es que pueden considerarse "distintas", ya que la mayoría de ellas tienen bases muy similares) versiones de la creación del Universo, compartidas, con ligeras variantes, por los *selk'nam* y *tehuelche*, o la recreación del mundo después del Diluvio Universal, tal como la presentan las tradiciones *kolla* y las *mapuche*.

• La primigenia interacción con el entorno, en la cual juega un papel preponderante el vínculo ancestral con los tres reinos y los fenómenos naturales (las temporadas de caza, las migraciones animales y la desaparición temporal de ciertas especies, entre otras).

• La relación histórico-cultural-social con otros pueblos y sus influencias mutuas, que pueden ir desde relaciones pacíficas y de intercambio, hasta cruentas guerras sin cuartel. Dos casos típicos en nuestro país fueron la llegada de los invasores *inkas* a los territorios andinos, la salvaje colonización hispana y la sangrienta "conquista del desierto".

• La interpretación de hechos misteriosos o inexplicables, especialmente aquellos en que el ser humano no puede interferir, como el movimiento de los astros, las mareas y los cataclismos meteorológicos, como huracanes, inundaciones, sequías, etcétera.

• La imposición de nombres, no como simples fonemas, sino como una forma de designar la esencia misma que corresponde a lugares, cosas, animales, personas o dioses. Así surgen nombres como *Yasí-Iretá* o "País de la Luna", una región que se torna mágica bajo la luz lunar; *Inti-Anti* o "Camino del Sol", para describir el recorrido del astro rey desde su aparición en el horizonte hasta el poniente, y muchos otros de similar contenido poético y descriptivo a la vez.

Los cuentos y las fábulas pueden ser divertidos, pictóricos o atrapantes; los relatos y sucedidos pueden ser verídicos o fantasiosos, las narraciones y relaciones pueden ser ocurrentes, picarescas o descriptivas pero únicamente la leyenda intenta responder al génesis de los personajes, lugares y seres míticos que la protagonizan y en los cuales se desarrolla.

Los temas de las leyendas bucean en el tiempo, en los orígenes y en las causas, proponen arquetipos y generan misterios insondables, tal vez, más de los que explican.

... El significado de una leyenda –explica Mircea Eliade– es una expresión de verdad absoluta, ya que refiere una historia sagrada, una revelación que trasciende lo humano para aproximarse al despertar del Gran Momento, el tiempo sacralizado del Génesis Universal..."

Si bien en el propósito inicial de la inmensa mayoría de las leyendas universales parece subyacer una dicotomía taxativa entre el bien y el mal (los elementos antagónicos por definición), en las tradiciones sudamericanas no todo lo demoníaco es prístinamente maligno, sino que ambos principios parecen complementarse, dando como resultado un antagonismo cósmico que modela dioses malos pero justos, que castigan a los pecadores, pero en muchas ocasiones perdonan, e incluso premian, a quienes los sirven. Es que sin esa dicotomía bien/mal, blanco/negro, ambos extremos pierden sentido (según José Larralde, un conocido folklorista argentino, " ...si no existiera el no, el sí estaría de más..."), hecho que se pone de manifiesto, por ejemplo, en los actos de dioses creadores y benéficos que deciden, de pronto, aniquilar a la humanidad de una forma cruel y despiadada, y lo ponen en práctica con una displicencia y un ensañamiento dignos del más maléfico y sádico de los genios orientales.

Entre las deidades aborígenes sudamericanas, no siempre se puede distinguir si una entidad es "buena" o "mala"; quizás sería más prudente hablar de seres "orientados hacia" el bien o el mal, lo que, por otra parte, los humaniza más y los aproxima a los seres humanos, a quienes deben proteger o castigar. El ejemplo más conocido es, quizás, el *coquena*, que protege a ultranza sus majadas de vicuñas y guanacos, pero no pierde de vista el hecho de que muchas personas necesitan de su carne y de su piel para subsistir, y hasta premia a cazadores que otrora asolaron sus rebaños (véase "El *coquena*, protector de las majadas", en la Región Noroeste).

Sin embargo, los conceptos anteriores no impiden que existan en nuestras tradiciones aborígenes seres intrínsecamente buenos o intrínsecamente malos, y hasta personajes cuyo comportamiento pueda variar según un cronograma diario, como es el caso de *Yacumaná*, deidad femenina de las aguas de los diaguitas, que durante el día protege al hombre, pero al caer las sombras asume las características de un ser maléfico, sin razón aparente alguna. También los *Anchimallén*, divinidades mapuche de segundo orden, pastores de los ganados de los *machi-mallén* (brujos negros), cumplen con esta función durante el día, y por las noches se convierten en fuegos fatuos que salen a cumplir malignas misiones encomendadas por sus amos.

Por supuesto, en las mitologías sudamericanas tampoco faltan las deidades que protegen a los animales silvestres acosados por el hombre, ya sea por su carne o por sus pieles, defendiéndolos de cazadores venales e insaciables. Entre ellos podemos destacar al ya mencionado *Coquena*, el *Llajtay*, el *Pombero*, protector de las aves, la *Pichikchik*, madre *wichi* (mataco) de las serpientes, y a *Sitsé*, padre *moconá* de todos los animales, entre muchos otros.

También, aunque quizás en menor número, existen las entidades protectoras de las especies vegetales, los bosques y los árboles, como *Lacy*, la madre guaraní de las plantas, *Potsejalai*, deidad *kom* (toba) y el numen santiagueño del bosque, el *Sacháyoj*. Ni que decir que todos estos míticos "guardianes" han demostrado a lo largo de siglos ser más eficientes que nuestras leyes represivas en lo que se refiere a la preservación del equilibrio ecológico y, sobre todo, ¡mucho más económicos!

Sin embargo, paradójicamente, la misma "civilización" que hoy clama indignada por la depredación de la flora y la fauna, en un patético alegato que es la primera en ignorar, esa misma "humanidad" destruye, día tras día, centenares de miles de hectáreas de selvas y bosques y extermina, con la ilógica lógica que la caracteriza, especies completas, tanto animales como humanas, en aras de dioses cada vez más cibernéticos y mecanizados que no pueden comprender del todo, ya que no han surgido de sus propias necesidades, sino que les han sido impuestos por otras culturas u otros condicionamientos externos.

Según los conceptos de la mayoría de las religiones masivas actuales, se interpreta como superstición todo aquello que no puede ser enmarcado, natural o forzadamente, dentro de los cánones de sus propias doctrinas. Lo que no puede someterse al filtro de los dogmas pertinentes, debe ser destruido, desplazado o sojuzgado; pero lo peor de todo es que, cuando se lleva a cabo la discriminación, sólo se toman en cuenta los conceptos "ortodoxos" de las "religiones establecidas", sin tomar en consideración, por supuesto, religiones y tradiciones netamente americanas, cuya antigüedad es varios miles de años mayor que la de dichas "religiones establecidas".

Es decir, que en las colonias, no sólo se le imponía a los nativos una religión exógena, sino que, además, se coartaba, radical y arbitrariamente la libertad de los fieles a manifestar su nueva fe a su manera. De esa forma, la única consecuencia posible era que se cercenara de raíz todo posible sincretismo religioso por parte de los aborígenes, que, por más que intentaran (voluntariamente o por la fuerza), adoptar una religión alienígena y amoldarla a su propia cosmovisión y sus propias necesidades, no lo lograban a causa de las imposiciones externas.

Un ejemplo de estas imposiciones es una conclusión de Pablo Fortuny, sacerdote jesuita destacado en la región calchaquí, quien afirma que:

"...caemos en la más abyecta superstición y en la blasfemia, cuando le rendimos culto apropiadamente a quien no se debe (llegando, en su soberbia, a considerar "indebida" la imagen de la Pachamama), o cuando le rendimos culto a la personalidad correcta (por supuesto, imágenes y deidades cristianas), pero de una forma indebida, es decir, de modo que no se ciña a las costumbres eclesiásticas".

En otro orden de cosas, aunque no menos lamentables, cabe destacar que son muchos los seres míticos que otrora poblaron las fantasías de nuestros ancestros, y hoy sólo perduran en la imaginación de algún anciano pueblero al que constantemente se le insiste para que "se deje de jorobar con esas pavadas".

La mayoría de estos seres (algunos de ellos hace ya siglos) han emprendido, como el pájaro Dodo y el *Pithecanthropus erectus*, el largo camino sin retorno hacia el Olimpo de los mitos. Ellos no volverán a conocer el halago de los ritos y festejos en su honor, pero eso no es motivo suficiente para dejarlos sumidos en la noche del olvido, ni para que se pierda, como de hecho se está perdiendo, gran parte del acervo cultural del cual alguna vez formaron parte.

Más allá de un quijotesco gesto de nostalgia, o de un intento de revivir a un dinosaurio, el acto de recordar estas tradiciones es algo que le debemos tanto a nuestros ancestros como a nuestros sucesores; en el primer caso, porque resulta doloroso que un modo de vivir se esfume en la noche de los tiempos, simplemente porque debe dar paso –hecho, por otra parte, absolutamente imprescindible e inevitable– a nuevas formas de vida más acordes con la época actual.

Sin embargo, en el segundo caso la obligación es, quizás, menos evidente, porque lo grave no es la mutación hacia una forma de vida diferente, sino el peligro de que este cambio represente un retroceso hacia actitudes y comportamientos sociales degradados, manipulados y, lo que es peor, mercantilizados (y quiero destacar enfáticamente que no digo *computarizados* ni *mecanizados*, porque ése podría ser un destino perfectamente digno para la humanidad); es decir, formas de vida en las que no haya lugar para el crecimiento humano individual, el vuelo de la fantasía y la posibilidad de concebir ideas y ponerlas en práctica.

Hoy se ha puesto de moda en casi todas las actividades artísticas, laborales y hasta sociales (a veces en forma pomposa y desatinada) el término "transgresión" para simbolizar un acto de desafío a los cánones que pretende, supuestamente, "crear nuevas respuestas a viejos interrogantes".

Y la pregunta cae por su propio peso: ¿es que acaso hicieron otra cosa individuos como Arquímedes, Copérnico, Galileo Galilei, Newton, Leonardo da Vinci, Einstein y otros tantos personajes conflictivos y hasta resistidos y negados en sus respectivas épocas, hoy universalmente reconocidos como genios, entre los que se incluyen, indudablemente, los anónimos descubridores del fuego y la rueda?

Entonces, ¿por qué no hacer lugar, entre los planes futuros relacionados con nuestro ser nacional –por supuesto que "reciclándolos" y actualizándolos adecuadamente–, a aquellos mitos, símbolos y tradiciones que un día hicieron que nuestros ancestros aborígenes erigieran y condujeran sus propias vidas con la suficiente eficacia como para legarnos un continente?

¿Por qué no rescatar de ellos su enjundia y su energía, de la misma forma en que todavía aplicamos el teorema de Tales o la geometría euclidiana, y aprovecharlas en nuestro propio beneficio?

Como lo demuestran los ejemplos mencionados, e infinidad de otros, conocidos y anónimos, que quedaron en el tintero, ni siquiera es preciso esforzarnos mucho en respetar su apariencia, porque los verdaderos mitos eternos resisten perfectamente cualquier intento de *aggiornamento* que pretendamos imponerles.

## Nota

1. Según el diccionario de M. Moliner, "conjunto o sistema de leyes inmutables que rigen el concepto de formación del mundo o del Universo para una religión, raza, etnia, comunidad o conjunto de personas determinado".

# REGION NOROESTE o PUNA DE ATACAMA

# Tribus que poblaron la región noroeste

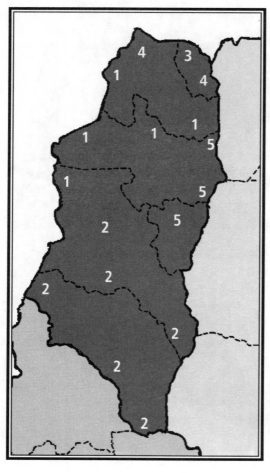

1 Kollas
2 Diaguitas
3 Chibchas (Muiscas)
4 Aymaras
5 Lules-Vilelas

# El cerro huáncar: La Salamanca jujeña

*La de la Salamanca (término equivalente al "aquelarre" español) es, sin duda alguna, la leyenda tradicional de mayor difusión en todo el territorio argentino, y se la puede oír mencionar en toda la zona cordillerana y precordillerana, desde Jujuy hasta Tierra del Fuego, en todo el norte del país e incluso en la Mesopotamia, aunque en esa región se la conoce también como "La Comitiva", probablemente por influencias europeas[1] aportadas por los colonizadores.*

–Acá, en Abra Pampa, todos sabemos que en el Huáncar vive el Zupay –me aclaró doña Adolfina Rimac, una anciana tejedora *kolla* de los pagos de Cochinoca, como si me estuviera explicando algo que solamente yo no supiera. (Haría falta ser sordo para no escuchar el *tum-tum* de las cajas y el ruido que todas las noches hacen esas brujas, íncubos y súcubos que vienen a visitarlo.)

–No, señor –agregó, cambiando parte de la cebadura–, no va a encontrar ni un solo arriero o vicuñero que se arriesgue por el camino del Huáncar una vez que si'a puesto el sol; ¡y mucho menos si es noche'e luna llena, que es noche'e Salamanca! Dicen que para esas fechas *Mandinga*[2] sabe salir montao en un potro negro, con la plata de la montura y las riendas brillando a la luz de la luna, y convida a los que pasan, para que se unan a la fiesta. Allí las brujas los invitan con comidas y bebidas de lo más finas, les hacen pasar los momentos más deliciosos de sus vidas y les conceden todo lo que le piden...

"Pero, claro que pa eso hay que tener muchos redaños,[3] porque también les muestran imágenes y estatuas de Nuestro Señor, de la Virgen y de todos los santos y, si quieren salir vivos con lo que les han dao, tienen que escupirlos y pisarlos, y quién sabe qué otras iniquidades –sentenció 'ña Adolfina, meneando pesarosamente la cabeza.

"Pero lo peor de todo viene pa'l Carnaval –concluyó la anciana tejedora–. Pa esas épocas toda la Salamanca sale del Huáncar y se disparrama por la quebrada, confundiéndose con la gente y animándolos a adorar al *Pujllay*.[4] Entonces hacemos lo único que podemos hacer: ¡rezar un Ave María y persignarnos muchas veces, para que Diosito nos libere a nosotros y a nuestros hijos de la tentación!".

## LA MADRE DE LOS RÍOS Y LOS ARROYOS

*Este relato fue recogido en los altos de las Cumbres del Toconqui, de labios de don Hilarión Fuentes, un anciano guanaquero que vivía en el caserío de Chachas, a orillas del salar de Arizaro, casi en la frontera entre el norte de Salta y la república de Chile.*

Según cuenta la leyenda, en la cima del cerro Aracar, a más de 6.000 metros de altura, vivía una hermosa mujer blanca, alta y esbelta como una diosa, y cuya larga melena dorada caía hasta más abajo de su cintura, mientras se mecía dulcemente, agitada por los fríos vientos cordilleranos.

No eran pocos los arrieros y los cazadores de vicuñas y guanacos que la habían vislumbrado en lo más ignoto de las quebradas o en lo más inaccesible de los picos, pero nunca se supo de alguien que se jactara de haber tenido tratos con ella, o de haber podido acercársele demasiado.

–Sin embargo, todos los que supimos verla –comentó don Hilarión al corro que se había reunido junto al mostrador del almacén para escuchar una vez más su relación– sabemos que era una mujer hermosa, vestida con una túnica blanca, y su cuerpo era transparente, como si hubiera estado hecha de puras nubes.

La mujer andaba siempre acompañada de una pequeña corzuela blanca como la nieve, que la seguía con devoción cuando recorría los cerros, y a veces la seguía cuando bajaba a las quebradas o se acercaba al río para lavar su rubia cabellera.

–Pero un día de tristeza para el pueblo, porque la seca había acabado con toda el agua de la quebrada –reinició el narrador su historia, luego de una obligada pausa para aceptar un convite–, la mujer, apenada por los lamentos de la gente del pueblo que ascendían desde la quebrada, dejó la corzuela cerca de su choza y echó a andar por las nubes para bajar al valle a ver lo que sucedía.

"Pero el *Zupay*[1] no es bicho de quedarse tranquilo cuando puede hacer maldades –sentenció don Hilarión, meneando tristemente la cabeza–. Y así hizo que un cazador que perseguía vicuñas y guanacos por las laderas del Aracar viera la corzuela, que triscaba cerca de la choza. Gatiando entre las peñas, el hombre se arrimó lo más que pudo y, cuando la tuvo a tiro, disparó su fusil, que retumbó con ecos malignos entre los cañadones y los laberintos de la cumbre.

"El desdichado animal, herido de muerte, corrió ciegamente hacia el borde del risco y se arrojó al vacío, donde murió entre las rocas del fondo. Un silencio de muerte pareció descender desde el cielo atardecido, y cuando la mujer hecha de nubes llegó a su hogar y no vio a su compañera, inmediatamente supo que algo terrible había sucedido; salió a buscarla y, al divisarla en el fondo del cañadón, la tomó en sus brazos y la llevó cuidadosamente hasta la cima más alta del Aracar. Y sólo al llegar allí permitió que las lágrimas fluyeran de sus ojos, y lloró; lloró sin cesar hasta que sus ojos se convirtieron en dos fuentes inagotables, y sus cabellos en otros tantos cauces de ríos y arroyos que no sólo lavaron la sangre'e la corzuela, sino que permitieron a la gente del pueblo saciar la sed provocada por la sequía.

"Y así fue como nacieron los manantiales, los arroyos y los ríos".

## LA PENITENCIA DEL CRESPÍN

*A diferencia de muchos otros relatos tradicionales argentinos, la leyenda del crespín,*[1] *si bien se ha difundido por casi todo el norte del país, no ha sufrido grandes cambios en su concepto y se mantiene intacta en todas las regiones donde se la menciona, excepto, quizás, en el litoral, donde se superpone con la leyenda guaraní del* caraú, *hecho que bien podría ser una coincidencia. Personalmente, he escuchado este "sucedido" en varias oportunidades, con escasas variantes, pero he elegido esta versión, narrada por doña Juana Cruz de Cepeda, una pastora* kolla *de gran sensibilidad para las cosas de su tierra.*

El casamiento del Crespín con su prometida, la Crespina[2] no sorprendió a nadie en el pueblo; habían estado noviando por bastante tiempo, y ya era hora de sentar cabeza. Sin embargo, no faltó alguna mala lengua que dijera que, mientras el Crespín era un hombre serio, honrado a carta cabal y dedicado a su trabajo, la Crespina era demasiado aficionada a los bailes y a las fiestas, aunque todo el mundo reconocía que no era haragana y que atendía a su marido como debía, manteniendo el rancho limpio y ordenado, y la ropa impecable, dentro de su pobreza.

El matrimonio se mantuvo en excelentes términos durante muchos años, aunque no tuvieron hijos, hasta que un día de noviembre, habiendo llegado la época de la siega de una cosecha que se presentaba magnífica, el Crespín comenzó a encontrar algunas dificultades para dar abasto con todo el trabajo que representaba levantar todo aquel grano extra, ya que no podía pedir ayuda a nadie, porque todo el mundo se encontraba en una situación similar.

Así que el hombre no tuvo más remedio que trabajar de sol a sol, aunque sin permitir que su mujer lo ayudara ni siquiera a atar una gavilla, porque su orgullo de paisano le impedía reconocer que algún trabajo fuera demasiado para él. Finalmente, el exceso de trabajo comenzó a minar su salud, y un día debió abandonar temprano las eras, agotado y afiebrado, y llamar al médico del pueblo, que le recomendó algunos remedios.

Pero el Crespín se encontraba demasiado débil para ir al pueblo en busca de las medicinas, por lo que pidió a su esposa que fuera a buscarlas mientras él aprovechaba para descansar un poco, ya que al día siguiente debía volver al campo. Lo que ni el Crespín ni ella sabían era que en otro rancho, que se encontraba camino del pueblo, ya habían terminado de recoger la cosecha y estaban festejando el fin del trabajo con una gran fiesta.

Así que la mujer partió rumbo al pueblo y pasó frente al baile, pero al saludar desde la tranquera, como corresponde, la Crespina fue invitada a la fiesta, también como corresponde, y aunque lo dudó un instante, la tentación fue más fuerte que ella y terminó por unirse al festejo.

Hechizada por el baile, y obnubilada por la ginebra y la caña, pronto se olvidó de su marido y bailó hasta la madrugada, en que unos vecinos vinieron a avisarle que la enfermedad de su esposo estaba agravándose.

–¡Hay momentos pa preocuparse y momentos pa divertirse! ¡Este es tiempo'e bailar! –dijo la Crespina.

Pero las fiestas de la cosecha se sabe cuándo empiezan pero no cuándo terminan, y al atardecer del día siguiente, otros vecinos llegaron a decirle que el Crespín estaba agonizando.

–Lo que tiene que ser 'ai de ser –sentenció la mujer y siguió bailando.

Crespín murió esa noche en su rancho con la única compañía de su perro, y sólo a la mañana siguiente unos vecinos piadosos acudieron a darle cristiana sepultura.

Cuando le avisaron a la mujer lo que había sucedido, interrumpió un momento su baile, pero pronto lo reanudó, diciendo:

–¡Que siga la música, que pa llorar siempre hay tiempo! –y sólo regresó al rancho muchas horas más tarde, una vez que la fiesta hubo terminado.

Pero cuando llegó y encontró la casa abierta y abandonada, comenzó a experimentar el agobiante peso de la pena y el arrepentimiento y, presa de un profundo dolor, comenzó a vagar por el rancho y los alrededores, llamando a su hombre con gritos desgarradores: "¡Crespín...! ¡Crespíín...!".

Sus lamentos resonaron largo rato por los alrededores del rancho, luego por los barbechos y finalmente a lo largo de los campos de laboreo, donde el trigo se secaba bajo los ardientes rayos del sol, sin los fuertes brazos del Crespín para cosecharlo.

–¡Crespín...! ¡Crespíín...! –el eco de los montes le devolvía su voz, cada vez más débil y lejana...

Desesperada, pidió a Dios que le diera alas para volar en busca de su hombre, y el Supremo le concedió su deseo, convirtiéndola en una pequeña ave marrón que todos los años aparece al comienzo de la siega, en busca de su esposo muerto.

## El *UKUMARI*: "EL VIEJO HOMBRE DEL BOSQUE"

*El término aymara "ukumari" (más frecuentemente "ukumar" o también "ukumare", según la región) se traduce literalmente como "el viejo hombre del bosque", y se aplica a una variedad sudamericana de plantígrados úrsidos (osos) conocido científicamente como* Tremarctus ornata *y popularmente como "oso de anteojos". Su característica más destacable son los dibujos que presenta en el rostro, diferentes para cada individuo.*

En las leyendas andinas, el *ukumari* es el hombre-oso, un ser al que se representa con distintos grados de hibridación, desde un oso simpático, peludo y bonachón, hasta un hombre cubierto de pelo, de frente estrecha y barba blanca (probablemente una alusión a las marcas características de la raza).

El *ukumari* vive en cuevas, en el fondo de las *yungas*[1] y quebradas, por las cuales merodea en busca de brotes, raíces y pequeños animales, de los que se alimenta. Si bien es un ser difícil de ver, es frecuente encontrar sus pisadas en las riberas de los arroyos; también se dice que es muy fuerte y ágil, y que puede subir a los árboles en busca de huevos, pájaros y fruta.

Dentro de la mitología andina, si bien no se han registrado cultos en su honor, en algunas regiones se lo considera una deidad secundaria de los bosques y las montañas, atribuyéndosele la facultad del polimorfismo, es decir, de cambiar de forma a voluntad; en otras, en cambio, es sólo una tradición mítica que se ha transmitido a lo largo de muchas generaciones.

La leyenda del *ukumari* se encuentra fuertemente teñida de connotaciones sexuales, pues se lo considera generalmente macho, y proclive a raptar mujeres jóvenes y llevarlas a sus cuevas para engendrarles hijos. Un relato recogido por Francisco Bustos en la región de Suri Pintado, casi en el límite entre Salta y Formosa, sin embargo, señala que el *ukumari* puede ser también hembra, en cuyo caso rapta varones jóvenes para ser fecundada por ellos, o niños, a los que cría a su propia manera en lo más profundo del bosque.

En su comportamiento, el *ukumari* tiene ciertas similitudes con algunos seres míticos y feéricos europeos, ya que gusta de aparecerse de improviso frente a los viajeros, saltando de entre la fronda y emitiendo aullidos que aterrorizan a quien lo ve. Otra de sus diversiones predilectas consiste, al igual que los *hobgoblins* celtas,[2] en atraer la atención de las personas que se internan en las *yungas* –ya sea llamándolas con una imitación de voces humanas, o dejándose ver y alejándose cuando lo siguen– conduciéndolas hasta lo más profundo del bosque y desapareciendo sigilosamente, dejándolas perdidas en la espesura.

En mi experiencia personal, un relato contado por Jacinto Echagüe, un buscador de oro de los pagos del cerro Casabindo, en la Sierra de Quichagua, parece confirmar esta tendencia:

–Me encontraba una tardecita lavando oro en los rápidos del

Cincel, al sur de Pozuelos –comenzó el narrador– cuando de repente, del otro lado del bajío, me pareció escuchar una voz de mujer que me llamaba. Pensando que era la Eusebia, mi esposa, y que podía haber pasado algo con las *guaguas*,[3] crucé el río lo más rápido que pude y me interné en la yunga, pero la voz parecía irse alejando a medida que yo me acercaba.

"Después de una caminata de más de media hora, no sólo no había podido acercarme a la voz, sino que ni siquiera había podido ver a la mujer; así que empecé a preocuparme, porque sabía que estaba metiéndome en una parte del bosque muy espesa, en la que no había estado nunca antes.

"Caminé otro trecho, y cuando ya estaba pensando en pegar la vuelta, llegué a un remanso del camino, y allí estaba: sentado en el medio de la picada, mirándome como si se estuviera riendo de mí".

–Pero... ¿qué era?– pregunté inocentemente.

–¡Y... el *ukumari*, pues!, ¿quién otro si no?– contestó socarronamente el Jacinto, mirando a su alrededor, como si estuviera hablando con el opa del pueblo.

–¿Y qué pasó después? –pregunté, tratando de zafar del mal paso.

–¡Simplemente, que estuve toda la noche tratando de encontrar el camino de vuelta! –retrucó el minero. –¡A mí sí que el *ukumari* no me vuelve a engatusar jamás! –remachó, entre las risas de los asistentes.

## EL CARDÓN

*El* Trichocereus pasacana, *conocido en el noroeste de nuestro país como "cardón", es una cactácea gigantesca (alcanza los 5 m de altura), de tallo (o tronco) cilíndrico, espinoso y estriado longitudinalmente, del cual brotan, en forma de brazos de un candelabro (de allí su otro nombre de "cactus candelabro"), un número de entre 1 y 5 ramas que surgen en forma horizontal y se acodan luego a 90° hacia el cielo. Su hábitat se extiende a toda la zona norte de la Cordillera de los Andes, especialmente la Puna de Atacama, Bolivia y Perú, en altitudes mayores a los 2.500 m de altura, aunque también se los suele encontrar más al sur, en las laderas de montañas más bajas, hasta la provincia de La Rioja.*

Reza un antiguo poema andino que "el cardón es una vertiente hecha planta, quizás para ayudar al hombre en su peregrinar por esas tierras donde el sol refulge como una fragua y la vida es tan dura como las rocas donde se asienta".

Pero no sólo el hombre se beneficia de la jugosa pulpa brillante, sino que hasta sus espinas, largas, traslúcidas y profusas, actúan como verdaderos alambiques, condensando durante la noche la humedad ambiente y vertiéndola en forma de diminutas gotas que absorben ávidamente no sólo las raíces superficiales de la propia planta, sino también los pequeños vegetales que se agolpan junto a aquéllas.

Además de la versión andina del Diluvio Universal, cuentan los viejos pobladores de las regiones puneñas que los cardones son las almas de los indios muertos por los conquistadores, que la *Pacha Mama* o la *Mama Kocha* (Madre Tierra, en *quechua* y *aymara*, respectivamente) han convertido en plantas para que vigilen y protejan los cerros, a fin de que sus moradores no vuelvan a ser acosados por extraños.

Las flores blancas y rosadas de esta cactácea, acunadas y protegidas por las agresivas espinas, han dado origen a una antigua leyenda *kolla*, que cuenta la historia de la hija de un cacique, a la cual su padre había prometido en casamiento al anciano jefe de una tribu vecina, con el aparente fin de estrechar los vínculos entre ambos pueblos, aunque su verdadero propósito era reunir a ambos grupos bajo su mando, cuando su yerno muriera, ya que era varias décadas más viejo que él mismo.

Sin embargo, una vez realizada la ceremonia (aunque no consumada la boda, dada la avanzada edad del cacique), la princesa conoció a un joven cazador, encargado de proveer de caza la mesa de su esposo, y ambos se enamoraron perdidamente, hecho que pronto fue descubierto por los dos padres, que decidieron administrar un –para ellos– ejemplificador escarmiento a la adúltera pareja.

No obstante, uno de los sirvientes de la casa real advirtió a los jóvenes del peligro que corrían, por lo que ambos decidieron fugarse, y una mañana, antes que Inti asomara por detrás de los cerros, partieron, tomados de las manos, a emprender una nueva vida juntos, escondidos en lo más recóndito de la quebrada.

Al despertar el cacique engañado y notar la ausencia de su esposa, mandó llamar inmediatamente a su suegro, y ambos partieron sin demora en persecución de los amantes. Estos habían partido hacía ya varias horas, pero el despecho y el resentimiento de ambos hombres les hicieron redoblar sus esfuerzos, y pronto los tuvieron a la vista, empeñados en darle una lección a la princesa, y al cazador... bueno, ya se les ocurriría algún castigo feroz para aplicarle.

Poco a poco fueron ganando terreno, hasta que la pareja, desconsolada, pidió auxilio a la Pacha Mama, para que los ayudara a esconderse de sus perseguidores. Y así, ante la mirada asombrada de los caciques y su séquito, la Madre Tierra abrió un pliegue de su manto y los refugió en su seno protector. Los caciques, sorprendidos por la desaparición de su presa, se quedaron allí aguardando, sin saber qué hacer, hasta que, unos pocos días después, comprobaron que, en el lugar donde había desaparecido la pareja, había brotado una extraña planta, en cuya forma insólita, con un cuerpo cilíndrico y cuatro brazos, interpretaron la fusión de ambos amantes, ahora convertidos en un solo ser para toda la eternidad.

Y aún hoy, poco antes de que los negros nubarrones de tormenta se ciernan sobre los altos picachos andinos, y de que los profundos y amenazadores truenos retumben por los valles y quebradas, la princesa enamorada, convertida para siempre en una blanca flor acunada sobre el pecho de su amado, abre sus pétalos como ojos, para contemplar el atardecer y las cataratas de lluvia bienhechora que se vuelcan sobre las sedientas arenas de la Puna, mientras que en lo alto del cerro, la Pacha Mama sonríe condescendiente, observando a los caciques, que tascan el freno de una furia impotente.

## EL *COQUENA*, PROTECTOR DE LAS MAJADAS

*La leyenda del* coquena *se remonta a las antiquísimas tradiciones* inkas, *desde donde se ha extendido a medida que se expandía hacia el sur el imperio del Tawantinsuyu,*[1] *hasta transformarse en una deidad diaguita-calchaquí de segundo orden, aunque con culto propio, protectora de los animales andinos en general y de los camélidos en particular, es decir, vicuñas, llamas, guanacos y alpacas.*[2] *Esta característica principal ha dado pábulo a innumerables narraciones y "sucedidos", algunos de los cuales he incluido en las páginas siguientes, relatados por paisanos y aborígenes de distintos puntos de la Puna y la provincia de Catamarca.*

Desde el punto de vista tradicional, el coquena es un personaje mítico-legendario, de género masculino que, curiosamente, presenta muy pocas variantes de una región a otra, excepto quizás en el sombrero; en las regiones norteñas más extremas (Jujuy y Salta),

utiliza la típica gorra *kolla* de lana con orejeras, mientras que más al sur (Catamarca y La Rioja), lo describen ocasionalmente con un "sombrero ovejuno", es decir, una gorra hecha con un trozo de piel de oveja con su lana, que se saca de una especie de casquete de la parte superior de la cabeza del animal y se lo adapta al cráneo humano mediante costuras. Por esta zona se identifica al coquena con el miquilo o "duende sombrerudo", aun a pesar de las diferencias en el comportamiento y las actitudes de ambos. También ha sido asimilado, especialmente por Pablo Fortuny, con el *Llajtay*, que veremos más adelante.

Siempre según Fortuny, el coquena

"...recorre los cerros constantemente, silbando y mascando su *acullico* de *coca*,[3] mientras vigila con celo el ganado que pace en las alturas andinas. Cuando se ve moverse a lo lejos una tropilla de vicuñas o de guanacos salvajes, es el coquena que las arrea hacia sitios de mejores pasturas.

También se dice que, durante la noche, lleva rebaños cargados de plata y oro extraídos de ignoradas minas cordilleranas hacia la mítica ciudad de Sumaj Orko, presumiblemente ubicada en el Potosí, para que sus riquezas no se agoten".

*Veamos, ahora, algunas de las leyendas populares atribuidas al* coquena, *recopiladas en distintos puntos del noroeste, que muestran las variantes regionales más destacables. La primera de ellas me fue narrada, en su propia casa de Mulli Punko, Jujuy, por doña Kauka Puccallpa (fon.: pujaypa), una* kolla *de pura cepa, de edad insondable e indefinible, piel de bronce y ojos entornados por el sol sin filtros de la Puna.*

–Dicen que es enano el coquena –empezó su relato doña Kauka, después del inevitable intercambio de saludos y frases circunstanciales, como para romper el hielo–. Enano y de cara blanca y chiquita, como un *cholo* (hombre blanco).

"Vive en los cerros más altos, y desde a'i puede ver cuando están por cazarle sus vicuñitas y bajar deseguida a defenderlas. Porque el coquena deja que cacen a sus animalitos cuando lo hacen como los antiguos, boleándolos con las *libes*,[4] pero se enfurece cuando usan jusiles, y entonces ¡pobrecito del cazador! Primero arrea sus tropillas para un lugar seguro, llevándolas como si volaran; dispués apalea los perros del cazador, y más dispués a él, hasta dejarlo sin ganas de volver a usar un jusil.

"Sí, castiga duro el coquena –dijo sentenciosamente–, pero también sabe hacer regalos si uno ayuda a un animalito en apuros, o protege a una cría a la que se le ha muerto la madre. A los güenos pastores los premia con monedas de oro, ¡pero ni se le vaya a ocurrir cazar más de lo que necesita, ni cargar dimasiado a sus llamas, ni pegarles para que se apuren, porque entonces se pone hech'una juria! –agregó con las eses arrastradas de su más pura tonada norteña–. No hai'ser el primero que se lleva a lo más profundo'e la quebrada y lo hace perder entre los cañadones, para que nunca más de los jamases vuelva a cazar... si vuelve...

"Como verlo, no; yo no lo he visto nunca en persona –contestó doña Kauka a mi pregunta al respecto–, pero muchas veces vi tropillas de guanacos o vicuñitas que marchan como si alguien las arriara, y es porque el coquena se ha hecho invisible. Entonces las va arriando con un látigo muy largo, y a veces pueden oírse los chasquidos y los gritos, y también el cencerro de oro que lleva la madrina de la tropa colgado del cuello.

"Pero no se vaya a creer que el coquena defiende solamente a los animales; también cuida las montañas y las minas, y es el guardián de todo el oro y la plata de los cerros. Dicen que tiene pilas de cogotes de guanaco[5] con riquezas guardados en las cuevas más escondidas. Los vizcachones y los cuises son los que se encargan de juntárselos, y él los guarda para premiar a los pastores que cuidan bien sus animales".

*Otra "relación" que describe a pie juntillas las actividades principales del coquena, me fue contada por don Rito (nunca supe si era su nombre o su apellido, y creo que él tampoco lo sabía), pocero de los pagos de La Ciénaga, un caserío al norte de La Rioja, casi en el límite con Catamarca.*

–¿Así que usted vio personalmente al coquena, don Rito? –pregunté, tratando de sacar de mentira verdad de un relato que prometía ser interesante.

–Personalmente, lo que se dice personalmente, no, pero ya andaba por el pago cuando pasó lo que pasó con los Junes, cuando se toparon con el coquena, y pude seguir de cerca todo el asunto.

–¿Y qué fue lo que pasó? –apunté, cuando el silencio se hizo demasiado largo para mi impaciencia.

–¡'Cha que había sido corrido el pueblero! ¡Cómo se ve que tienen tiempo'e sobra pa'l apuro! –dictaminó enigmáticamente, pero continuó con el relato: –Ahora no me acuerdo los apelativos –reinició, refiriéndose a los nombres de pila–, pero los Junes eran hermanos, aunque tan distintos como el día y la noche, mire, vea; el más joven era pobre, y tenía que trabajar de sol a sol en los campos ajenos, y todavía, a la tardecita, salir a los cerros a *hondear*[6] algún que otro vizcachón o bolear un *charabón*[7] para que sus hijos no se fueran a dormir con el estómago chiflando. El mayor, en cambio, era rico, pero también llevaba la cruz que eso apareja: era ambicioso, avaro y egoísta, y no le daba nada a su hermano pobre, ni siquiera pa'ayudarlo a dar de comer a su familia.

"Hasta que un día, el hermano pobre, acuciado por la miseria, salió a cazar vicuñitas y guanacos, llevando por todo avío las libes, la *talega* de *tostao*[8] y la *chuspa*,[9] ya que preveía pasar algunos días en los cerros.

"Pero parece ser que el hombre era afortunao pa la desgracia, mire; días enteros anduvo por los cerros, sin poder cazar ni un *cui*[10] pa llevar a la olla de su familia. Agotao, se sentó a discansar en una roca al costao del camino, cuando en un redepente ha sentido un ruidaje como de arreo, y ha llegao una tropa grande, grande, de guanacos y vicuñas, cada uno con su correspondiente carga de bolsas de cogote. Y le ha dicho el arriero, un hombre mayor, petisito, vestido todo de vicuña y con sombrero ovejuno:

—Güenos días, muchacho. ¿Discansando un poco?

—Así es, pues, don.

—¿Y qué has estao haciendo todo el día, si puede saberse, pa'berte cansao tanto?

—Y... boliando guanacos y vicuñitas, pero no he podido piyar ni uno, y esta noche mis guaguas tendrán que acostarse sin comer.

"Por la vestimenta del arriero, el joven sabía que se encontraba frente al coquena, y que su vida corría peligro, pero la desesperación por el hambre de su familia era más fuerte que su miedo.

"El duende lo miró un rato largo, de arriba abajo, y al cabo le dijo: A'i arribita, a medio campito pasando el *abra*,[11] me ha quedao una vicuñita con cargas. Descargála con cuidadito, dejá las *reatas*[12] a un lao, sin asustarte por lo que veas, lleváte los cogotes y no güelvas más por acá. No me matés más vicuñitas ni guanacos, y que naides se entere por tu boca de lo que ha pasao aquí.

—Hasta otro día y gracias, don —logró articular el joven.

—Que las tengas buenas, m'hijo —le contestó el duende, sonriente.

(El cazador marchó sin tardanza para el lado del abra, y en medio del campito de más allá encontró una pequeña vicuña con dos cogotes colgando a los lados de su cuerpo. Se dirigió al animal y, al tratar de desatar las reatas, éstas se transformaron en culebras, pero el muchacho, reprimiendo su miedo, logró dejarlas cuidadosamente a un lado, como había dicho el coquena. Después levantó una de las cargas y vio que eran monedas de oro y plata, en gran cantidad. Sin perder un instante, se echó los cogotes al hombro y marchó de regreso al hogar, contento como unas Pascuas. Y así llegó el cazador a su casa con las cargas; era rico, y ya nunca le faltaría nada a su familia. Ilusionado, marchó al pueblo y compró los mejores alimentos que pudo encontrar, pero no contó con que su hermano pronto se enteraría de sus compras, y no era hombre de dejar pasar una cosa así.)

"Tan pronto se anotició de que el hermano andaba con plata –señaló el viejo pocero– se ha apersonao en su casa y le ha preguntao qué pasaba, pero el menor no quiso soltar prienda, como le había prometido al coquena. Pero el hermano rico era demasiado ambicioso pa dejarlo así nomás, y tanto insistió que el menor no tuvo más remedio que confesarlo todo.

"¡Aura sí que es cuándo!, se rilamía el envidioso –seguía contando don Rito, como enojado por los recuerdos que le evocaba su propia narración–. Y al otro día temprano ha riunido sus cositas y salido pa los cerros en busca'el duende. Y cuando a la tardecita, dispués de andar de arriba abajo todo el día, se sentó a descansar en una piedra, ¿no va que se le aparece el coquena en persona, con toda su tropilla?

(La narración se había suspendido momentáneamente por los avatares del mate, y ya estaba a punto de sucumbir a mi curiosidad, cuando el anciano, sabio manejador de los tiempos y las pausas, continuó su relato.)

"–¿Y qué ha venido haciendo este día, si puede saberse, joven? –preguntó el duende, como pa empezar una conversación...

–Pues por ahicito anduve 'ñor, tratando de boliar alguna vicuña o un *chulengu*[13] pa'rrimar a las casas...

–¡Ajá! –dijo serio el coquena–.¿Y ande están los boliaos?

–¡Es que no he pillao ni un *pichi*![14] –se lamentó el embustero.

–¿Y pa qué querís la caza?

–Es que soy muy pobre y tengo que dar de comer a mi familia, que se'stá muriendo de hambre.

–'Ta güeno –dijo el falso arriero–. ¿Vos sabís quién soy yo, no'cierto?

–Sí, 'ñor, el coquena –respondió el ambicioso.

–Pues entonces te v'ia dar algo pa que lleves a tu casa –agregó el susodicho–. Cerrá los ojos y no los abrás hasta que sientas que m'e marchao. Endispués podés irle a mostrar a tu hermano lo que t'e dao.

"Ansioso, el avaro se hincó ante el duende, y éste tocó con su mano sus sienes, diciéndole:

–Tomá esta menta y esta hierbabuena; es un presente del viejo coquena.

–Y cuando el ambicioso quedó solo en medio del cerro –concluyó don Rito–, creyendo que el peso que sentía en la cabeza eran monedas de oro y plata, se llevó las manos a la frente, descubrió que lo que el *coquena* le había rigalao ¡eran dos flor de *guampas*[15] de carnero, de las que ya nunca más pudo librarse en su vida!

## EL *LLAJTAY* Y SU HIJA MAIPÉ

Entre los calchaquíes, el *Llajtay* (también *Iajtay* o *Yajtay*) es el numen tutelar de la fauna del altiplano puneño, si bien algunos autores, entre ellos Carlos Villafuerte, opinan que su protección se limita a las aves, especialmente el cóndor; otros investigadores, por su parte, como Adolfo Colombres, extienden sus cuidados a algunas especies de mamíferos, pero las limitan a los camélidos andinos, como vicuñas, alpacas, llamas y guanacos. Sin embargo, resulta algo difícil de imaginar que una deidad patrona de la naturaleza sea tan selectiva respecto de sus protegidos.

El Llajtay es, invariablemente, de sexo masculino, aunque su apariencia, según las regiones, es imprecisa, o puede variar por decisión propia; además de protector de la fauna y la naturaleza, también es guardián de los hombres, erigiéndose así en el equivalente a la Pachamama, deidad femenina que reina en las altas cumbres.

De acuerdo con una precisa descripción de Vidal de Battini, recogida, según sus propias palabras, en la región de Ischilón, al este de Tucumán, el Llajtay es:

"... petiso, fornido y de larga barba blanca, vestido a la manera de los pastores de cabras. Calza *ushulas* (sandalias) indias y se toca la cabeza con un *urku* (gorro con orejeras) de lana de alpaca o vicuña, bajo el cual chispean sus ojos negros, brillantes como ascuas y siempre atentos al cuidado de sus majadas. Se lo suele ver subiendo y bajando por las laderas con saltos inverosímiles, tocando siempre su flauta de húmero de cóndor, cuya música desata la alegría de la naturaleza...".

Sin embargo, otros investigadores afirman que puede tomar otras apariencias, como la de un viejo, un joven cabrero, e incluso la de alguno de los animales que cuida; en estas ocasiones se lo suele ver acompañado de un perro negro, de aspecto fiero y agresivo.

A semejanza del coquena, el Llajtay no es enemigo de todos los cazadores, sino de los malos cazadores; de aquéllos que depredan las majadas y matan indiscriminadamente, incluso las crías y las madres que están amamantando. En procura de sus favores, los habitantes del Altiplano lo invocan y le rinden tributo mediante el *cocho*, preparado compuesto por harina de maíz tostado, vainas molidas de algarrobo negro y arrope (melaza) de caña; también le ofrendan *chicha* (aguardiente de maíz), *llicta* (golosinas de miel de avispa) y hojas de tabaco y coca.

Según investigaciones recientes, el culto del Llajtay fue parcialmente absorbido por el dedicado a la Pachamama, traído por los *inkas* durante la expansión del Tahuantinsuyu hacia el sur del continente.

Una adición interesante a la leyenda del Llajtay, que se circunscribe a los pagos de Tinogasta, en la provincia de Catamarca, cuenta que en la aldea de Saujil vivía un *chango*[1] pastor de cabras, cuya diversión principal, cuando no debía pastorear su majada, era recorrer los cerros con su enorme perro negro, a la caza de chulengos y vicuñitas, como aporte a la alimentación familiar.

Varias veces fue advertido el joven por sus mayores, quienes lo prevenían acerca de no despertar las iras del Llajtay, padre de las aves y los animales silvestres, que se aparecía, según ellos, con la apariencia de un viejo pastor de larga barba blanca, o bien con la figura de un soberbio ejemplar de guanaco, con la cual atraía a los que cazaban a sus protegidos, haciéndolos caer por los barrancos.

Y así sucedió que un día, habiendo perdido la pista de su perro, que perseguía a un hermoso ejemplar de guanaco, se sorprendió al no escuchar siquiera los ladridos con que habitualmente lo guiaba, y emprendió decididamente su búsqueda. Se internó cada vez más por la quebrada en la que había visto entrar a los dos animales hasta que, sorprendido, vio aparecer detrás de un recodo a una hermosa chinita, vestida con un fino manto de vicuña, que le hacía señas para que se acercara. El chango comenzó a dudar sobre si soñaba o estaba despierto, porque ninguna mujer hubiera osado adentrarse tanto en la soledad de la puna, pero no dudó un instante en acercarse a la niña, preguntándole:

–Ñaña,[2] ¿no has visto por aquí un perro negro, atrás de un guanaco?

–Sí que lo vi. Pero mi padre mi'a encargao que le avise que lo tiene atao cerca'e las casas, porque es un animal dañino pa las tropillas.

–¿Y si vi'a buscarlo me lo degolverá? –preguntó el chango, preocupado por su amigo inseparable

–Venga conmigo –respondió la niña–. Pero mi padre es muy estricto cuando atacan a sus majadas.

Dicho esto, la muchacha lo tomó de la mano y juntos llegaron a un rancho construido con osamentas de vicuñas y guanacos, alrededor del cual rondaban cientos de estos animales. Al acercarse, el perro del joven, atado con una cuerda de lana, comenzó a ladrar y a hacerle fiestas con el rabo, y un hombre de larga barba blanca, vestido con ropas de cabrero, se dirigió hacia ellos.

–Aquí me tienes –le dijo al chango–. Yo soy el Llajtay, por si no lo sabís. ¿Es tuyo el perro?

–Sí, 'ñor –contestó el chango, amedrentado por la imponente presencia del viejo.

–Pues verás; lo'e atao porque hace mucho tiempo que viene matando a mis animalitos, sobre todo a las hembras paridas, haciendo que las crías se mueran de hambre –dijo el Llajtay, señalando un corral donde la niña que lo había llevado hasta allí (y que no era otra que la hija del dios) alimentaba varias crías con mamaderas.

–¡Pero,'ñor… –exclamó compungido el joven–, el *Huayra* es el único amigo que tengo en el mundo! ¡Si lo dejo aquí se va'morir de pena!

El Llajtay lo miró durante un rato largo y, finalmente, convencido de la sinceridad del chango, y conmovido porque se había preocupado más por los sentimientos del perro que de los suyos propios, le dijo:

–¡Ta bien! Yo te vi'a degolver el perro, pero a cambio d'eso me vas a prometer dos cosas: primero, que no van a golver a perseguir a mis tropillas, y dispués, que te vas a casar con m'hija Maipé, aquí presente, que ya va siendo hora de que tenga una familia.

El chango, que no podía salir de su asombro, miró a la hermosa chinita que su propio padre, un dios, lo ofrecía espontáneamente, aunque él no era más que un pobre pastor de cabras que no tenía dónde caerse muerto, y aceptó sin dudarlo.

Sin embargo, al partir, el flamante suegro le previno:

–Pero te ricomiendo que cuidés mucho a m'hija y lo mesmo a mis majadas. Te autorizo a que cacés algún macho solitario cada tanto, cuando te acuceen las nicesidades de carne y de pieles, ¡pero no me toqués a las madres ni a las crías, porque entonces te'i de sacar lo que más quieras en el mundo en ese momento!

Y así volvieron los dos jóvenes a las casas, donde el chango presentó sus padres a Maipé, con la que se casó según rezaba la costumbre, y vivieron felices durante muchos años, criando la guagua que la Pachamama les mandara, a instancias del Llajtay,

Pero "ande'ai felicidá, Mandinga mete la cola", reza un antiguo proverbio andino, y un día el chango –ahora ya un *ckari* (hombre) hecho y derecho– bebió mas de la cuenta durante una chaya y, al volver a su casa, le levantó la mano a su mujer, sin razón, y luego se echó a dormir. Al despertarse, arrepentido, quiso disculparse con su adorada Maipé, pero tanto ella como su hija habían desaparecido.

Desesperado, salió inmediatamente a rastrearlas, y cuando ya el sol comenzaba a ponerse tras de las cumbres, alcanzó a ver, allá a lo lejos, una vicuñita con su cría, y le pareció que esta última doblaba la cabeza para mirarlo con sus enormes ojos negros.

En un último arranque de furia impotente, cegado por el ansia de retener lo único que realmente había querido en su vida, mandó a su fiel *Huayra* a que las atacara, pero éste, en un gesto que nunca había tenido, se revolvió contra él, enfurecido, y le destrozó el cuello a dentelladas, matándolo inmediatamente.

Y cuenta la leyenda tinogasteña que los aullidos del *huayramulloj*,[3] misterioso remolino que se levanta en los caminos polvorientos al paso de los sorprendidos viajeros, no es otra cosa que los lamentos del chango y su perro, condenados a vagar eternamente por los arenales, en busca de lo que perdieron por designio del Llajtay.

## ZAPAM–ZUCÚN ("LA TETONA")

Si bien las menciones a este ser legendario no son demasiado frecuentes en nuestro país (quizás por tratarse de un personaje de origen aymara, una etnia minoritaria en nuestro norte), es citado

con bastante asiduidad en los trabajos de algunos autores sudamericanos, como Julián C. Freyre Vallejos y Mario Pereyra Vilas, aunque no siempre especifican las fuentes puntuales en que recogieron sus datos.

Por otra parte, y curiosamente, las menciones de autores

argentinos se refieren a apariciones localizadas en regiones más cercanas a La Rioja y Catamarca que a la zona puneña limítrofe entre Jujuy y Bolivia, lugar principal de asentamiento de las comunidades aymaras en nuestro país.

Según la leyenda, se trata de una mujer de tez aceitunada, joven y en la plenitud de su femineidad, de ojos renegridos y largos cabellos lacios del mismo color, que le caen por debajo de la cintura. Aparece siempre desnuda, y sus características físicas más destacables son sus manos, blancas como la nieve, y sus pechos descomunales, que agita al andar, produciendo el ruido onomatopéyico del que proviene su nombre indio.

En la mayoría de las versiones se comporta como una aparición benévola, ya que suele acariciar y jugar con las niñas pequeñas que sus madres dejan a la sombra de los algarrobos cuando salen a recoger higos de tuna, e incluso suele darles de mamar cuando tienen hambre. Sin embargo, si el hombre de la familia ha matado alguna vicuña sin necesidad, o hachado algún árbol, le robará al hijo y ya no tendrá manera de recuperarlo. También se ocupa de mantener encendido los fuegos que los pastores dejan prendidos en sus campamentos, para encontrarlos cuando regresan con sus majadas.

Sin embargo, no en todos los casos la aparición de la *zapamzucún* resulta tan beneficiosa, ya que Berta Vidal de Battini menciona un testimonio recogido en 1950 de un informante de la región de Vichigasta, en las cercanías de las Sierras de Sañogasta, según el cual

> "...la *capasucana* (o *capansucana*, otro nombre del personaje, o una variante regional) es una mujer gigantesca y horriblemente fea, de pechos enormes y colgantes, que sorprende a los recolectores de *patay* durante los descansos que hacen bajo los árboles, anunciando su presencia con gritos que responden a la onomatopeya de su nombre local, y atrapando entre sus senos –donde aparentemente caben varios– a todos los que no son suficientemente rápidos para escapar, se los lleva con rumbo desconocido, sin que nadie más los vuelva a ver...".

# Notas

## El cerro *Huáncar*: la Salamanca jujeña

1. Véase el volumen *"Hadas, duendes y otros seres mágicos celtas"*, del mismo autor y editorial.

2. *Mandinga*: nombre quechua del diablo, sinónimo de *Zupay*.

3. *Redaño*: lit., "testículos", se utiliza como sinónimo de valor, decisión, coraje.

4. *Pujllay*: espíritu del Carnaval, para algunos deidad, para otros demonio menor. Es el encargado de hacer pecar a los hombres durante la *chaya*.

## La madre de los ríos y los arroyos

1. *Zupay*: vocablo quechua que identifica al Diablo. Si bien la mayoría de las leyendas sobre el Zupay se han originado en la Región Chaco-Santiagueña, su nombre ha sido adoptado también en gran parte de la Puna.

## La penitencia del crespín

1. El "crespín" o "crispín" (*Crinifer concolor*) es un pequeño pájaro de color pardo, muy frecuente en todo el norte argentino, desde el Chaco hasta la Cordillera, cuyo nombre común proviene de la onomatopeya de su grito.

2. En tiempos pasados, en muchas regiones del noroeste y centro-norte del país era costumbre que la mujer adoptara, además del apellido del marido, una versión femenina del nombre de su esposo (León Benarós, *El norte argentino y sus leyendas*).

## El *ukumari*: "el viejo hombre del bosque"

1. *Yunga*: término quechua que designa a ciertos valles o quebradas enclavados entre montañas, a veces a gran altitud, que conservan temperaturas tropicales o subtropicales, técnicamente se los conoce como "microclimas", ya que alcanzan condiciones térmicas muy superiores a las que corresponde por su elevación.

2. Véanse *Hadas, duendes y otros seres mágicos celtas* y *Cuentos de hadas celtas*, del mismo autor y la misma colección.

3. *Guagua*: niño pequeño.

## El *coquena*, protector de las majadas

1. El *Tahuantinsuyu* (del quechua, "Cuatro vientos" o "Cuatro direcciones") fue la mayor expresión del imperio *inka*, extendido en una amplia franja a lo largo del Océano Pacífico, por el oeste, y la actual frontera con Brasil por el este, y desde Quito, Ecuador, al norte, hasta la provincia de Río Negro, en Argentina, por el sur.

2. Mamíferos camélidos originarios de los Andes sudamericanos. Los cuatro géneros principales son: la vicuña (*Lama vicugna*), la llama (*Lama lama*), el guanaco (*Lama guanicoe*) y la alpaca (*Lama guanicoe pacos*). La

especie doméstica es el guanaco, mientras que la vicuña se encuentra en vías de extinción.

3. *Coca*: bot., *Erythroxilum coca*, arbusto del cual se extrae el clorhidrato de cocaína. Con sus hojas, los nativos andinos confeccionan un pequeño atado o "naco" (*acullico*), que se mastica para obtener el zumo, utilizado como euforizante.

4. *Libes*: boleadoras de menor peso que las comunes, utilizadas para la caza de animales de menor potencia, como charabones, chulengos y vicuñas.

5. *Cogote de guanaco*: porción de piel de ese animal extraída del cuello, en forma de bolsa cosida por su parte inferior, que se utiliza para el transporte y almacenamiento de minerales, líquidos o granos y, ocasionalmente, como unidad de medida.

6. *Hondear*: cazar con una honda de revoleo de lana tejida, con la cual los nativos pueden arrojar piedras de hasta 400 g o más, a distancia de hasta 20 m, con asombrosa fuerza y precisión.

7. *Charabón*: pichón de ñandú.

8. *Talega de tostao*: bolsita pequeña, generalmente de piel o de lana, usada para llevar rosetas de maíz (pororó, pochoclo), alimento muy difundido entre los andinos por su gran cantidad de fécula, su poder alimenticio y su rapidez de asimilación.

9. *Chuspa*: especie de petaca de tejido con mostacillas, que se lleva al cuello con hojas de coca, tabaco o papel para armar cigarrillos.

10. *Cui, cuis*: (*Cavia porcellus*) llamado así por su grito, y por los conquistadores "conejillo de Indias", por su apariencia, es un roedor rabón de unos 20 cm de largo, ya criado y domesticado por los antiguos incas. Fue importado a Europa y hoy se lo utiliza como animal de laboratorio (cobayo), por su facilidad de reproducción bajo condiciones genéticas controladas. En estado salvaje, puede encontrárselo en los Andes Peruanos y norte de Bolivia.

11. *Abra*: cañadón, paso de un valle o *yunga* a otro, entre dos cerros.

12. *Reata*: cabestro para llevar de tiro a una pequeña recua o manada de mulas o llamas.

13. *Chulengu*: cría del guanaco.

14. *Pichi*: zool.: *Chlamidophorus truncatus*. Armadillo pequeño, de no más de 15 cm de longitud, actualmente casi extinguido, antes muy frecuente en toda la precordillera de los Andes, hasta los 3.000 m de altitud.

15. *Guampas*: cuernos.

## El *Llajtay* y su hija Maipé

1. *Chango*: joven entre los 5 o 6 años y la adolescencia. Término quechua muy utilizado en todo el norte y centro del país.

2. *Ñaña*: término algo despectivo para dirigirse a una niña o adolescente, especialmente por un joven del otro sexo.

3. *Huayra mulloj* o *muyoj*: lit., "viento rojo". Remolino, a veces de grandes dimensiones, que se levanta repentinamente en los llanos puneños, acompañados de un silbido agudo, provocado por el fuerte viento arremolinado.

# REGION CENTRAL o CHACO-SANTIAGUEÑA

# Tribus que poblaron la región central

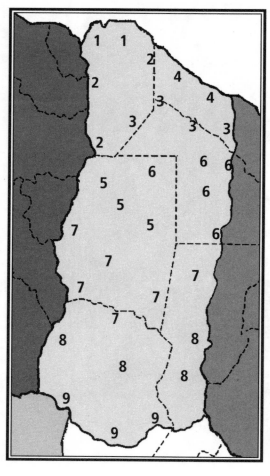

1 Chané
2 Chiriguanos
3 Wichis-Matacos
4 Wichis-Nivaklés
5 Wichis-Chulupís
6 Guaycurúes (tobas)
7 Comechingones
8 Sanavirones
9 Tonocotés y Lules

# La Salamanca

*Si bien existen muchas dudas sobre el origen del término, la traducción más aceptada del vocablo quechua* salamanca, *que no tiene otra acepción conocida, constituye el equivalente español del "aquelarre", o reunión de seres demoníacos, realizada periódicamente en un punto y día determinados, y que suele llevarse a cabo, según la región, una vez a la semana (los días sábados), una vez al mes (al inicio del plenilunio), o una vez al año (la noche del primero de noviembre). En ella, los seres demoníacos se divierten, bailan, beben y planean futuras tropelías contra los seres humanos, muchos de los cuales son inducidos a participar, tentados por delicias y placeres de todo tipo, al solo efecto de hacerlos renegar de sus principios morales y religiosos.*

Arturo Dávalos, conocido poeta salteño contemporáneo, idealizó en su zamba "La Salamanca" una de estas satánicas reuniones:

Con la diabla en las ancas Mandinga llegó,
azufrando la noche lunar;
se bajó del caballo y el baile empezó,
con la cola marcando el compás.
Un rococo[1] de la isla cantaba su amor
a una sapa vestida de azul;
Carboncillo[2] bailaba luciendo una flor
que a los ciegos devuelve la luz.

Socavón donde el alba muere al salir,
salamanca del cerro natal;
en las noches de luna se puede sentir
a Mandinga y sus diablos cantar.

Jineteando una escoba cruzaba el añil
de los cielos la Bruja Mayor;

la lechuza en el hombro y el Gran Tenedor
disparándole a la Cruz del Sur.
Un quirquincho barbudo tocaba el violín
y un zorrino con voz de tenor,
desgarraba la noche con un yaraví
que Mandinga a cantar le enseñó...

También Don Sixto Palavecino,[3] conocido "musiquero" santiagueño, se refiere a la salamanca en sus *Apuntes salavineros*, mencionando que:

> "...En los pagos de Salavina hay muchos lugares donde se reúne la *salamanca*, y siempre están en un cerro y cerca del río. Y ahicito nomás, por las noches, se siente música de guitarras, violines y bombo, que lo tientan a uno a ver de dónde viene.
>
> Todo el mundo cuenta la historia de la *salamanca*, pero, en verdad, nadie sabe mucho de lo que pasa ahí. Algunos cuentan que hay que entrar desnudo y que hay que aguantar que los demonios le pongan encima toda clase de bichos fieros: víboras, sapos, arañas y otros que vaya a saber qué son... Dicen que en el medio hay un gran fuego, cerca del que se sienta *Mandinga*, y todo alrededor hay un círculo de ruedas de *ampalaguas*,[4] donde todos se sientan desnudos, y ái es donde cada uno elige el oficio que quiere aprender, y ellos se lo enseñan de'seguida.
>
> Pero claro... siempre hay que hacer antes un trato con el Malo...".

Esta referencia de Don Sixto coincide con muchos de los relatos populares, en los que se hace expresa mención a personas que han aprendido un oficio por ese medio. Uno de estos "sucedidos" me fue referido por una anciana tejedora del Paraje Sestiadero, no lejos de la frontera con Tucumán, aunque la similitud entre ambos temas no se hizo evidente sino hacia el final del relato, y en forma inesperada y sorprendente.

Conocí a Doña Miluca, la anciana tejedora, a través del cura párroco del vecino pueblo de Amicha, quien, luego de insistirle durante varios días sobre el tema de la *salamanca*, me la presentó como a "la persona que más sabía del tema en la región".

–¿Sabe joven? –me dijo la anciana, con esa sinceridad que sólo los espíritus sencillos suelen mostrar-. Usté' me ha caído bien, a pesar de ser pueblero y, pa colmo, porteño. Por eso le vi'a contar un sucedido que no muchos conocen por estos pagos. Se rifiere a un *chilquero*⁵ que jamás de los jamases había tenido suerte, y al que una tarde, lavando greda en los bajos del río Marapá, se le hizo la noche cerca del cerro'el Mistol, allá por los Altos de La Cocha –me aclaró 'ña Miltica, con esas precisiones que suelen dar los baqueanos para presumir de sus conocimientos.

"Así que decidió pasar la noche al raso y ¿no va que al poco rato empieza a ver luces en lo alto'el cerro? A'i nomás le picó la curiosidá y comenzó a acercarse, hasta que se encontró con un gaucho sentao junto a un fuego, que lo invitó a tomar unos amargos. Así que tomaron mate y charlaron un rato, hasta que el gaucho invitó al *chilquero* a subir hasta su rancho, en la cima del cerro, pa poder dormir a cubierto.

"Gustoso por no tener que pasar la noche al raso, el hombre accedió de buena gana, pero ya al dentrar y ver que todo el mueblerío del rancho, incluidas las sillas, las mesas y la cama, era de oro puro, comenzó a maliciarse que estaba en presencia del mismísimo *Mandinga*".

En este punto, 'ña Miluca suspendió la narración para cambiar un poco de yerba al infaltable mate que acompañaba la charla, y luego volvió a reanudar el relato:

"Pues sí, yo soy el Malo –respondió Satanás ante la pregunta del minero– y puedo enseñarte a que encontrés todas las pepitas que quieras tener, pero pa eso tendrás que comprometerte a sacrificarme un gallo blanco cada semana, en este mismo lugar. Empezarás mañana a las doce de la noche; vas a ver un fuego encendido; dejá el gallo junto a él y desde ese mismo momento, podrás encontrar oro en cualquier lugar que lo busques.

"El hombre cumplió con su parte del trato, sacrificó el gallo, sin ver ni rastros del Diablo, y a la mañana siguiente, apenas comenzó a lavar, llenó una bolsa de pepitas. Y así siguió durante un año entero: el hombre llevando sus gallos y llenando la bolsa con pepitas; pero al cabo de ese tiempo, el chilquero ya había acumulado más riquezas de las que podía gastar y, además, cada vez se le hacía más difícil conseguir los gallos, así que pronto dejó de subir al cerro y al tiempo olvidó por completo su promesa.

"Pero el Malo no abandona tan fácil a sus presas (sentenció doña Miluca, ensillando la enésima cebadura). Y una noche en que el nuevo rico volvía a su casa endispués de una noche de juerga en el pueblo, se encontró de nuevo con Mandinga, que le echó en cara su falta de cumplimiento: 'Te doy hasta mañana a la noche para que empieces de nuevo a traerme los gallos, porque si no lo haces, vas a morir'.

"Asustao, el hombre volvió a comenzar con su rutina, pero al poco tiempo reinició su vida de antes, olvidó de nuevo los gallos blancos y se entregó a un desenfreno total, gastando a manos llenas la fortuna que había ido acumulando lavando oro, hasta que la miseria, las deudas del juego y, al final, el hambre y las enfermedades, acabaron con su vida.

"Lo encontró un vecino a la mañana siguiente, cuando fue a acercarle un jarro de mate cocido (continuó doña Miluca, trajinando en la cocina, desde la que un humito tentador preanunciaba un locro como para chuparse los dedos). El hombre avisó a las autoridades, y a la mañana siguiente lo enterraron como Dios manda, gracias a la buena voluntá de los antiguos amigos, que tuvieron que hacer una colecta pa comprarle un cajón, tan pobre y miserable había quedao.

"Pero al otro día, cuando el sepulturero pasó por el lugar y vio que en la parte de arriba'e la tumba había un ujero por el que podía pasar un hombre, se asustó y avisó al comesario y al juez de paz, que, al desenterrar el catafalco, encontraron nada más que una bolsa vacía y un puñao de plumas blancas. Ellos nunca supieron lo que había pasao, pero estaba claro como el agua que el Malo se lo había llevao, por no haber cumplido con su parte'l trato".

A pesar del increíble aroma que despedía la olla, arriesgué una nueva pregunta:

–¿Así que en la *salamanca* cualquiera puede aprender cualquier profesión?

–¡Ya tenía que mostrar la hilacha de pueblero! ¿Acaso yo dije mesejante cosa? Solamente dije que cuando Mandinga le enseña algo a alguien, lo hace bien, pero pa eso hace falta haber hecho un trato con él primero, y eso a veces se hace cuesta arriba... ¡Si lo sabré yo, que soy la mejor tejedora del pago! –concluyó enigmáticamente 'ña Miluca, mientras se encaminaba a la cocina a servir el locro.

# ¡LAGUNA VOLADORA, LA DE SUCO!

Había por los alrededores del arroyo Santa Catalina, una lagunita que era un primor, viera –solía decirme el Eleuterio, paisano contador de historias y mentiras, mientras sobaba y trenzaba tientos para sus aperos–. La viera, azul y ovalada, como un espejo. Bicho que volaba no podía con su encanto. Se abajaba, se tomaba el agua, chapoteaba, se daba un güen baño, se gastaba todos los gritos y al aire otra vez. De maraviya, vea. Era un gusto ver tanto pato, garza y flamenco. Porque de tiempo en tiempo y cuando debe ser, ellos, los bichos peregrinos... buscando lugar donde hacer el nido. No era muy honda la laguna, pero ¡de bonita...! –y la mirada del Eleuterio se perdía en su propio espejismo, como añorando el paisaje perdido.

–Pero, por ese lado, ni sombra de la laguna, ni siquiera la hondonada que pudo haber quedado –lo chuceaba con mi incredulidad.

–Bah, eso fue hace mucho. Usté ni había nacido, ni siquiera su papá. Así que déjeme que le cuente, porque usté no sabe nada y esto, en los libros que lee no lo va a encontrar –y su mirada se achicaba hasta volverse para adentro de los ojos, hurgando en esa memoria extraordinaria en la que guardaba tantas historias descabelladas y mentiras convincentes, para luego soltarlas impunemente, previo escupitajo por el colmillo. Entonces sus ojos escrutadores taladraban al interlocutor semblanteando el efecto producido. Ese era su momento de dosificar el suspenso.

–La lagunita estaba por aquí nomás, algo al sur del puente del arroyo, donde se quiebra el terreno. Un invierno mas frío que los otros, redepente, ¿no va que se congela? Las cigüeñas, los flamencos y el paterío quedaron maneaos por el yelo y no pudieron sacar las patas. Terrible griterío. Siguió frío todo el día y los bichos ahí presos. Viera el escándalo. Por fin se pusieron de acuerdo. Se alzaron a volar hasta que tomaron altura a pura juerza'e las alas... y ¡bue! ¡Se llevaron la laguna!

–¿La laguna helada? Así que se la levantaron nomás –fingí creerle para ver adónde iba a parar.

–Sí, señor, se la llevaron nomás, y como resultaba pesada, ahí fue que la descargaron en Suco. Eso sí, cuando se reditió, se hizo grande, como está ahora y nunca más se congeló.

Satisfecho del efecto producido, todavía me sermoneó:

–Eso prueba que los bichos de la naturaleza, animalitos de Dios, cuando se ponen de acuerdo hacen grandes hazañas.

–¿Y había ranas y sapos en la laguna aquélla? –le "tiré" a ver si "mordía".

–Capazmente, toda laguna que se rispete los tiene.

–Bueno, Eleuterio, ya acabo de tragarme uno.

–¿Y usté lo dice por la laguna que se llevaron? Güeno, por ai andan hablando de los platos voladores, ¿eh?, ¿y yo no puedo decir nada de la laguna voladora? –me reconvino entre ofendido y caviloso–. Ve, no se puede con la inorancia de algunos leidos –se apretó el sombrero de alas anchas, que era parte de su humanidad, y le siguió dando sebo a los tientos con los que trenzaba bozales y riendas, con tanta pericia como urdía sucedidos y mentiras.

## La picadura del hombre

*Debo reconocer que la recopilación de esta leyenda es casi acciden-tal, ya que fue grabada con otros propósitos, que no vienen al caso. Sin embargo, la originalidad del tema, sumada al color local que le otorga la traducción de un "lenguaraz" más voluntarioso que efec-tivo, la convierte en una de mis preferidas, y eso hizo que optara por transcribirla prácticamente tal cual fue registrada, en lugar de redactarla de una forma más ortodoxa. Las inclusiones entre parén-tesis son acotaciones que intentan aclarar las partes más complejas.*

*La narración proviene, intérprete mediante, de labios de un pi'oxonac[1] wichi, y fue obtenida en una reservación (hipócritamen-te denominadas "agrupaciones étnicas") mataca ubicada casi en la frontera salteño-boliviana, a orillas del río Pescado, cerca del Parque Nacional Baritú, y en las estribaciones de la Serranía de las Pavas.*

Cuentan que, mucho tiempo hace, hubo un *shixauá* (hombre) que está formando (construyendo) una casa, así que va a traer *bejuco*[2] para encañar (para atar caña); como bejuco a veces muy lejos, entonces lejos busca. En camino encuentra a *Iarará*,[3] recién nacida ella, que, asustada, pica a *shixauá* en tobillo.

–¿Y tú por qué picas a mí? ¡Yo te vi'a enseñar! –diz que dice el hombre; y agarrando viborita con las dos manos, le ha mordido en la cabeza, reventándole un ojo. ¡Ojo colgando lo tenía!–. Bueno, 'orita vamu'a ver cuál veneno es más fuerte, si la tuya o la mía! –Y diciendo esto, recogió nuevamente el atado de bejucos y siguió el camino hacia su casa.

–¡Mama –diz que gritó *Iararita* al llegar a su cueva, que ya no podía caminar, por andar con un solo ojo–, aiudemé, porque mi ha picad'un hombre!

–¿Y ahora quién va'curar? –diz que preguntó la madre–. Vaia, hijo –mandó a su hijo mayor–. Vaia y pregunte a su tío el *Ñacani-ná*,[4] a ver si él sabe quién puede curar hermana.

Corriendo va el *ñajpiolé* (niño), y al llegar encuentra al tío Ñacaniná enroscado tomando sol en la puerta de su casa.

–Tío –diz que dice el niño–. Aló (mujer y, por extensión, madre), quiere que vaia a la casa porque a mi hermanita lo ha picad'un hombre.

–¡Pues que ustedes son así, nomás, malos son! ¡Hasta a los que caminan por lejos tienen que saltarle! Desiguro que el hombre mal ninguno le había hecho. Nosotros los ñacaninás nunca hacemos esto; solamente silbamos y basta; nunca los mordemos. Ahora vaia a decir a su mama que ia estoy por estar iendo a verla –dijo el tío–, a ver qué puedo hacer.

Corriendo vuelve el niño a su casa y avisa que el tío Ñacaniná ya está en camino y, efectivamente, a los pocos momentos se presenta el anciano; pero al revisar a su sobrina, sacude negativamente la cabeza.

–¡Pues va'morirse nomás, porque nosotros no aguantamos picadura de ellos (los hombres), ni ellos el de nosotros. El único que tal vez puede saber secreto del hombre es el *Cascabel*[5] –diz que dice–. Vaia 'iamarlo deseguida –indica a su sobrino, que parte disparando de nuevo.

–¡De parte de mi tío el Ñacaniná –jadea el changuito–, que vaia urgente a mi casa, porque mi hermana se muere!

–¿Y que le ha anda'o pasando a tu hijo, pues? –pregunta el Cascabel a la madre de la moribunda.

–¡Que ha mordío al hombre, y el *shixauá* lo ha picau! –contesta la *aló*–. Lo ha picau en la cabeza, y le ha hecho saltar un ojo. ¡Ojo ya colgando seco, tiene! ¿Qué vi'acer ahora para salvar mi hijo?

–Hijo tuyo tiene que morirse; para el picadura de gente no hay rimedio. Diz que dicen que tal vez *Irojhai*, la *mboí-pevá*[6] sabe, porque él vive en cueva de *shixauá*.

Otra vez disparando sale el hermano de la moribunda, para avisar a *Irojhai*:

–Que lo llama la *aló*, de parte de ella. Que a mi hermana lo ha pica'u el hombre y que se va'morir. Diz que si puede venir deseguidita.

Y deseguida, pues, se ha vení'o, y cuando lo vio a la iararita dijo Iroj'hai:

–Está mu'mal, comagre; que el ojo de la cara lo tiene seco, iá, ¡que ni se le ve, pues, ia!

–¡Pero ustedes saben llegar por las cuevas de los *shixauá*, así que tienen que saber los secretos de él! (por el hombre) –interviene Ñacaniná.

–Yo... pos sí, lo sé ver, pero... Son musiqueros, cantan y eso, pero... nadie sabe cuál es el secreto que sirve para el veneno de ellos. Ahorita vi'a tratar de curarlo un poco... todo lo que sé... pero no creo que se salve... la veneno de *shixauá* es muerte hasta para ellos. Hacen diversión todos juntos... hacen muchos cantos y diversión, y después, deseguida se pican y se matan.

Y diciendo esto, se escupió las manos y las pasó por la cabeza, el ojo y el cuerpo de la viborita, que pareció recuperarse un poco ante los toques sanadores.

–¡Lo ha curao! ¡Lo ha curao! –diz que festejó toda la familia.

–Puede ser que esta secreto lo cure –diz que dicen que dijo el Irojhai, pero no estén muy confiaos. Los *shixauá* son mu'malos... no son *wichi*. ¡Y ustedes tampoco, que loj'an mordío di antes! ¡Así sólo consiguen que nos maten a la zoncera, aunque no les hagamos nada, porque, tras que son malos y venenosos, ustedes los muerden, y por eso ellos, que no saben distinguir, los matan a ustedes y a nosotros también!

–Bueno... –trató de serenar los ánimos Ñacaniná–. Ahora vámose y dejemos discansar a Iararita, y mañana veremos qué pasa...

Y diz que dicen que Iararita se curó, creció hasta convertirse en toda una damita, y nunca más volvió a morder a ningún *shixauá* ni a ningún otro animal, ¡a menos, claro está, que fuera para comérselo...!

# El origen del maní

Cuentan las ancianas criollas que en tiempos remotos existía, en estas regiones de tierras sueltas y fértiles, una pareja de brujos indios que tenían una mocita muy bonita llamada *Küyén*.

Por los mismos pagos, pero a alguna distancia, vivía en su toldo una pobre mujer con su único hijo: Elal.

Como eran muy pobres, la buena india estuvo obligada a decirle al muchacho:

—Hijo, yo pronto moriré, tienes que buscar tu destino. Si te quedas aquí, pronto seremos dos a morirnos de hambre.

Triste partió Elal, el indio manso y laborioso en busca de buena fortuna. Anduvo y anduvo, recorrió tierras aledañas y lejanas, sufrió muchas penurias hasta que llegó a la *ruka*[1] de una pareja de hechiceros, padres de la indiecita.

El muchacho pidió trabajo. El viejo de mirada astuta y apariencia temible le ordenó:

—Mañana, cuando amanezca, tienes que limpiar este terreno de todos estos yuyos, porque lo carpiremos y sembraremos. Si a la noche no está todo limpio, te arrepentirás.

Dicho esto, le puso el machete en las manos.

Elal luchó contra las malezas, pero el machete no cortaba. Era su hoja una piedra miserable, sin filo.

Ya por la tarde, entró en la choza buscando a la mocita para contarle lo mal que le había ido en el trabajo. La encontró arreglando unas bolsitas hechas con redecillas de hierbas que contenían preciosas piedras de color rojo.

Cuando la chica lo escuchó relatar sus peripecias, lo invitó a cenar y le dijo:

—Come ahora y luego duerme. Yo te ayudaré, pero nada les digas a mis padres. No deben saber de mi ayuda.

Cuando el muchacho se despertó muy de noche, la luna alumbraba el campo, limpio como por encanto.

A la madrugada llegaron los ancianos hechiceros de sus correrías nocturnas y se sorprendieron al ver el campo desmalezado. Se cuchichearon y el viejo ordenó:

—Ahora duerme. Cuando salga el sol vas a cortar todos los árboles que crecen junto al río con esta hacha. Si no lo logras, te arrepentirás. —Y le echó una mirada fulminante. Luego los brujos se ocuparon de contar las preciosas piedritas en la bolsita de red. Tal vez fueran su tesoro y con ellas obtuvieran la manutención. Así pensó Elal.

A la mañana siguiente el muchacho salió a trabajar. Se encontró con que el hacha no era de piedra sino de palo. Por mucho que golpeó los poderosos árboles, no los derribó. Otra vez le entró la desesperación, que confió a la linda mocita, depositaria de su cariño. Ella lo animó preparándole una sabrosa comida y luego le pidió que descansara. Cuando se despertó en medio de la noche, a la luz de la luna, el terreno estaba desmontado prolijamente.

No bien llegaron los brujos de sus correrías les entró una terrible furia porque el muchacho había cumplido su tarea como por arte de magia y no se podrían seguir aprovechando de su trabajo. Intuyeron que alguien lo estaría ayudando o que Elal tenía artes de brujo también.

Viendo los jóvenes que se hacía imposible seguir soportando las exigencias de aquellos dos demonios de maldad, pensaron en huir juntos, ya que de la solidaridad había nacido el amor.

A la mañana siguiente, antes de apuntar el sol, mientras los brujos dormían, los jóvenes se fueron llevándose las bolsitas de redecilla llenas de piedritas rojas, las que pensaban trocar por alimentos.

Corrieron por los campos de la comarca buscando verse libres de los hechiceros y ansiaron llevar una vida en común, felices. Pero los ancianos, al darse cuenta de la huida de la pareja, lanzaron terribles conjuros en medio de frenéticas danzas y rogativas para desatar los vientos.

Sopló y sopló de inmediato un terrible ciclón. Parecía que todos los vientos se hubieran juntado para causar infernales remolinos, amontonando médanos que se corrían aceleradamente de lugar sepultando animales y plantas. Los infortunados jóvenes, viendo cerca su fin, se abrazaron y cayeron, quedando cubiertos por un espeso manto de lodo. En medio de ambos quedaron sepultadas las bolsitas de las piedritas rojas.

A poco se desató una lluvia torrencial de días y días. Sin embargo, muy pronto cambió el panorama. El aire parecía cargado de sonrisas, verdeaban los campos y esplendía el sol.

De los jóvenes enamorados nació una planta pequeña, frondosa y de flores amarillas. Sus frutos estaban escondidos bajo la tierra, cubiertos con una curiosa cáscara en forma de red que adentro alojaba semillas rojas. Con el tiempo la planta se reprodujo abundantemente asegurando alimento a los habitantes del lugar que comenzaron a tostar sus frutos antes de comerlos.

Al pasar los años, otra gente venida de más allá del mar, exprimió aquellas sabrosas semillas y obtuvo aceite.

Había nacido el maní, precioso como una gema, sabroso como una golosina, útil como el aceite que de su generosidad se extrae.

Maní, amenoim, cacahuate, avellana americana, alfóncigo, pinote, pistache de la tierra, así se llama en nuestro continente esta planta alimenticia que la ciencia ha bautizado con el nombre de *Arachis hipogea*, de la familia de las leguminosas

Se la encuentra en climas templados y cálidos, desde México hasta la Argentina. Decir maní es decir fiesta, alegría, entretenimiento y sabor.

En México se acostumbra comer el cacahuate en los velorios, aderezado con sal, con azúcar o picantes. Lo muelen en un *metate* (mortero chato), lo endulzan, lo mezclan con agua y lo convierten en bebida. Constituye una parte muy importante de los ritos fúnebres.

En cambio, en nuestra región, resulta imposible una fiesta infantil o reunión social sin la deliciosa picada de maní mientras se charla, se bebe y se ríe.

El mundo "se arregla" en el aperitivo y los hombres son convocados por la amable cerveza, pero en esas ocasiones siempre debe estar presente el maní, con sus preciosas piedrecitas rojas, como gran protagonista de cualquier reunión.

## EL ESPANTOSO MONSTRUO DE LA LAGUNA

Ahí nomás, muy cerquita del ángulo recto que forma la provincia de Córdoba en el límite de San Luis y La Pampa, en ese sur misterioso, hay una laguna.

Los indios la llamaron Laguna del Cuero.[1]

Por esos pagos anduvo Lucio Mansilla y lo contó en su libro *Una excursión a los indios ranqueles*, sólo que no supo entonces los porqués de este nombre tan particular.

Los mapuche aseguraban haberlo visto muchas veces a la orilla de ríos y lagunas. ¿A quién?, preguntarán ustedes. Al Cuero pues, un monstruo perverso siempre dispuesto a atacar a las gentes desprevenidas.

El Cuero es exactamente eso, un cuero de vaca o ternero provisto de enormes uñas como ganchos y un montón de ojos, que habita en el fondo del agua. Allá, en su elemento, permanece enrollado como un gran tronco de árbol. Vaya a saber qué cuestiones lo impulsan a salir, pero cuando lo hace se despliega silenciosamente. Bajo su apariencia quieta acechan el engaño y la muerte.

Cuando el Cuero ataca no se salva nadie; él sabe esperar el momento justo y en cuantito alguien lo pisa sin darse cuenta de su presencia en la orilla, se enrosca violentamente, provocando la asfixia de su presa, que viaja ya muerta a las profundidades.

Algunos cuentan que el agua hace grandes borbotones cuando el Cuero se sumerge; son las risas, dicen, las horribles carcajadas de la bestia satisfecha. Sin embargo, hace mucho tiempo que nadie sabe de él, que no lo han visto. Y aunque siempre cuidadosas, por si acaso, las personas andan más tranquilas por el lugar.

Lo mató la Cirila Fuentes, afirman algunos con toda seguridad. A la Cirila el monstruo le robó la hija cuando era apenas una niña pronta a pasar a mujer. Porque ésas tenía el muy degenerado, le gustaban las niñas.

La Cirila era una moza todavía cuando sucedió esta desgracia. Lloró su pena unos cuantos días y después decidió que era mejor la venganza y dejarse de tanto lagrimear.

Una noche partió hacia la laguna bien equipada. Llevaba la *matra*[2] heredada de su abuela, comida y agua, que no iba a beber jamás de la laguna.

Pacientemente pasó la noche protegida por *Küyén* (la luna), que la estaba amadrinando. Y aunque la luz de la luna no ahuyenta los fríos de la madrugada, sirve en cambio para iluminar el paisaje y dejarle cada día su testimonio de plata.

La Cirila se había untado con *pomada de choique*[3] y aguardaba. El olor iba a traérselo, estaba segura.

El olor fue deslizándose de a poco por las aguas heladas de la laguna y llegó hasta el fondo transformado por el perfume pegajoso de los líquenes. El cebo estaba funcionando.

Apenas amaneció se levantó la Cirila de su improvisado campamento. Se había obligado a dormir, aunque los nervios la desvelaron largos ratos. Iba a ser bravo ese día, iba a necesitar de toda su fuerza y su valor.

Se arrimó a la orilla y aunque el agua le trajera la memoria de su hijita muerta, hizo un hueco con las manos y se lavó bien la cara y los brazos. El ungüento iba a llegar de seguro, eso lo sabía la Cirila.

Después juntó las ramas espinudas, eligió las más fuertes y formó una pila cerca de la orilla.

Los ojos negros fijos en la laguna, los labios apretados entre los dientes, siguió esperando.

La paciencia siempre ha sido un don precioso para el ranquel. El tiempo transcurría en aquellas épocas sin los apuros de este presente que no nos permite disfrutar el costado más bello de la vida.

La Cirila esperaba, los ojos fijos, mordiendo un trozo de charque[4] de guanaco.

Un murmullo suave agitó las aguas. Una especie de silbido vago y sordo confundido en el viento.

Ella sonrió con fuerza. El Cuero estaba saliendo. Por primera vez lo vio deslizarse sobre la orilla rodando despacio para abrirse lentamente como una flor lisa y maligna, pegada al barrial.

Cirila lo miró un rato, vaya a saberse cuánto tiempo. Quién sabe si el malvado se dio cuenta mientras estiraba las rugosidades de su cuerpo astuto y plano. Quién sabe si supo que esa mujer no iba a ser una presa sino el oscuro final de su destino.

La Cirila sí lo supo. Armada con el atado de ramas pinchudas llegó bien cerquita de la bestia, para que se confiara. Apenitas percibió el movimiento le arrojó unas ramas, retrocedió, cargó el resto y volvió a arrojárselas.

El Cuero, herido y furioso, intentaba la huida replegándose, pero las espinas se le iban enterrando en la piel hedionda y perversa y, a medida que se iba enrollando, le perforaban las entrañas.

Cuando el Cuero llegó al agua se hundió violentamente, y esta vez no hubo borbotones ni el sonido cruel de la risa satisfecha.

Un reguero de sangre bermellón tiñó las orillas y las aguas. Entonces la Cirila empezó a aullar.

Weeeee, weeeeeee... se llevaba el eco su lamento.

Cuando los indios llegaron al lugar la encontraron de rodillas, rezándole a Futa Chao, su dios padre, y la laguna era un espejo rojo inmóvil.

Años le duró el color, contó una anciana, aunque después se le habría ido yendo, cuando a la Cirila se le agotaron los rencores.

Vaya a saberse si el Cuero está muerto del todo, pero al menos duerme sus terrores allá bien en el fondo, donde el coraje de ninguna madre pueda alcanzarlo.

# El *POMBERO*

*Si bien el pombero es uno de los personajes míticos más populares del norte del país, es también el más ubicuo, ya que, además de poder alterar a voluntad su forma externa, se lo describe de infinidad de maneras, desde un hombre alto, delgado y velludo, vestido con ropas de faena, tocado con sombrero de paja y una larga caña en la mano, hasta un enano obeso, negro, feo y peludo con un enorme sombrero cónico. No obstante, esta descripción podría no ser más que una representación chaco-santiagueña del yasí-yateré, de origen netamente guaraní.*

Si bien no se ha podido demostrar fehacientemente, muchos autores parecen coincidir en que el *pombero* tiene una ascendencia primaria brasilera, pues existe un personaje similar en la mitología *mbyá*, aborígenes que, por ciertos indicios, se consideran antecesores de los *carios*. El área principal de su leyenda se extiende por el sur de Paraguay, sudoeste de Brasil y las provincias argentinas de Misiones, Formosa, Chaco y Corrientes.

En el norte del Impenetrable se cree que el *pombero* es un duende benévolo, y de hecho puede convertirse en un amigo entrañable de cualquier paisano, con quien se pueden pasar verdaderos ratos de camaradería, mateando, churrasqueando o, simplemente, conversando. En estos casos, festejará con el amigo los momentos buenos y lo apoyará en los malos tragos, ayudándolo a superar peligros y desventuras.

En todas las regiones en que se lo conoce, actúa como genio protector de los pájaros y los pequeños animales; recorre el monte, especialmente durante las horas de la siesta, evitando que los changos apedreen a las aves con sus gomeras, y en ocasiones los castiga con su caña, para abandonarlos luego lejos de sus casas, llenos de moretones. Sin embargo, en algunas zonas de Formosa y sur del Paraguay se lo considera más dañino, y hasta se habla de que succiona la sangre de los niños desobedientes, para luego dejarlos colgados de los árboles.

Mencionaremos con más detalle sus características y comportamiento más adelante, en la Región Mesopotámica, donde su leyenda se encuentra igualmente difundida, aunque con ciertas diferencias.

# LA MUL'ÁNIMA O ALMA-MULA

*A diferencia de la mayoría de las leyendas tradicionales, la historia de la mul'ánima tiene su área de difusión casi exclusivamente en Santiago del Estero, en las regiones áridas de Mailín y Tacoyoj, entre los esteros de los ríos Dulce y Salado.*

Conocida también como "ánima-mula", "mujer-mula" y "mula sin cabeza", es, según las distintas versiones, una mujer transformada en ese animal por haber tenido relaciones amorosas con un cura, haber cometido incesto, haber llevado una vida licenciosa o haber mantenido amores sacrílegos.

Adolfo Benítez Araujo la describe como

"...una mula de color negro o marrón oscuro y largas orejas más claras, que corre de noche por los campos, echando fuego por la nariz y la boca y con los ojos destellando como ascuas de una hoguera. El ruido de cadenas que la precedía y sus relinchos atronadores, que a veces se convertían en aullidos y llanto de mujer, causaban el terror de las personas que cruzaban los campos por las noches. Estos lamentos eran debidos al fuego que la consumía por dentro, al estar condenada a no poder regresar al hogar que había manchado por su mala vida, ni poder reposar en terreno santificado, por la misma razón".

Para Ricardo Rojas, en cambio, es

"una pequeña mulita invisible y etérea, que no galopa en el suelo; y pareciéndose a Pegaso en cuanto ambos tienen alados los ijares, no sube tanto, sin embargo, para acocear las nubes. Pasa invisible en la punta pestífera del viento, casi a ras de la tierra, y en la sombra nocturna se oye el tascar de su freno...".

Sin embargo, no sólo los campos son el recorrido usual de la mul' ánima, sino que aún deben de vivir en Atamisqui, Huajia y El Hoyón personas que reclamen el privilegio de haberla visto correr por las calles, rebuznando en el viento y agitando sus cadenas de oro.

Por aquellos lares se cuenta también que el caudillo santiagueño Felipe Ibarra envió una vez a todo un destacamento a perseguir una mula overa que tenía aterrorizada a toda la población de Inti Huasi. La persecución dio sus frutos y la mula fue capturada en el monte de piquillines, llevada a la iglesia de Quimilioj y atada a un paraíso frente al atrio, donde la molieron a palos para "exorcizar su alma". Luego de eso, el pobre animal pasó a formar parte de la remonta del ejército del caudillo y concluyó sus días en un fortín de La Banda.

Según otras versiones, por ejemplo una recogida por Guillermo Terrera, la mul'ánima también suele merodear los días de fiestas de guardar, por los arenales y esteros en las caliginosas siestas santiagueñas, recorriendo incluso las galerías de los patios de tierra y las frescas galerías de las estancias.

El castigo de la mula'ánima se suscita usualmente después de la muerte de la pecadora, pero cuando se produce durante su vida, un hombre valiente podrá liberarla de su martirio, aunque a riesgo de su propia vida, aguardándola en un paraje solitario y sacándole el freno de oro o cortándole, con un cuchillo afilado y mojado en agua bendita, parte de una oreja o tusándole la crin.

De los dos "sucedidos" que siguen, el primero de ellos lo escuché de labios de la cocinera de "Taco Pozo", una antigua estancia de los pagos de Mailín, perteneciente a unos tíos míos, a la que solían enviarme mis padres de vacaciones cuando sólo tenía 8 o 9 años de edad. El segundo, si bien no aporta mucho a la leyenda de la mul'ánima, es un gracioso relato que pone de manifiesto los recursos pedagógicos que pueden concebir personas con escasa educación formal, pero con un profundo conocimiento innato del alma humana, en este caso, del temperamento infantil.

El proceso comenzó a raíz de una extraña conmoción protagonizada una tarde por la mencionada empleada, y que había terminado con los niños en sus cuartos y los mayores con las caras largas por la preocupación.

–Vea, niña –escuché al día siguiente que doña Mercedes (una anciana negra, de 78 años, y terror de los demás sirvientes de la casa, a quienes manejaba con mano férrea) le comentaba a mi tía, mientras ambas tripulaban ollas y cacerolas, rumbo a la cena de esa noche–, usted siempre me ha tratao como a una más de la familia, y por eso quiero contarle a usté sola lo que pasó anoche, porque no quiero que piense que estoy enferma, ni nada por el estilo.

"Todo empezó allá por comienzos del siglo, cuando yo era mucama de adentro de la señora Juana de Cepeda, una mujer de gran alcurnia, dueña'e la estancia La Agustina, que solía quedar

allá por los pagos de Pampa de los Guanacos, campos que había heredado de su finao marido, que Dios tenga en su santa gloria.

"Por aquellos tiempos, yo dormía en un cuartito junto al dormitorio de la señora –continuó doña Mercedes–, y mi primer trabajo por la mañana era dispertarla con unos mates, con tiempo para la primera misa, dispués de la cual regresaba a desayunar. Así que me levantaba de noche entuavía, prendía el juego pa calentar el agua y le cebaba unos amargos antes de empezar con mis labores del día.

"Y jue una de esas veces –bajó la voz la anciana, santiguándose– que dentré redepente al dormitorio de la señora, y ¡que me caiga muerta aquí mesmo si miento!, la vide a la señora resollando juerte, como una poseída, vea, y tenía los ojos pa juera como los de un *rococo*[1] y encendíos como las brasas del jogón. ¡Parecía un demonio desatau, no le miento!

"¡Y eso no jue lo pior! –continuó 'ña Mercedes, cada vez más agitada.

(A pesar de mi edad y de los años pasados desde entonces, aún recuerdo como si fuera hoy el blanco de los ojos resaltando contra la piel oscura de la anciana negra.)

–Madre'e Dios, lo que vide endispués! ¡Los pieses como de mula los tenía, niña! ¡Con las piernas llenas de pelo y los vasos con pezuñas y todo! Mire, niña, si hast'orita mesmo se me ha puesto la piel de gallina al acordarme. ¡Le juro que estaba condenada, la infeliz! ¡Si entuavía me sacuden los chuchos al acordarme! ¡Y por eso jue que ayer, cuando por la ventana de la cocina vide pasar al Jacinto cabresteando a la burrita que iba a ensillar para pasear a los changos, me agarró el patatús, y me puse a gritar, porque me se arrepresentaron las patas de la mul'ánima en las piernas de mi patrona!

Y así fue como entré en contacto con aquel mítico personaje santiagueño que, no mucho tiempo después (al verano siguiente), me permitiría participar –sin que yo me percatara en ese momento, por supuesto– de una demostración de ingenio pedagógico intuitivo.

De las malas costumbres que habíamos desarrollado mis primos y yo, cuando nos reuníamos en los veranos de "Taco Pozo", la más dañina para nuestra salud era, quizás, la de escaparnos después de almorzar (la hora de la siesta era de rigor, entre la 1 y las 4 de la tarde) a recolectar jarritos de *lechiguanas*[2] y frutos de mistol, ya que las temperaturas en el exterior superaban los 50°C al rayo del sol. Inútil era que nos confinaran a las habitaciones del piso superior, de donde suponían que no podríamos escaparnos; pronto descubrimos que los horcones del techo de la galería prestaban excelentes servicios como escaleras, y por ellos nos deslizábamos hasta el suelo, para iniciar nuestras escapadas.

Una noche, viendo que las prohibiciones no servían de nada, uno de los peones más viejos, que siempre solía contarnos relatos de "aparecidos" y "luces malas", nos contó una versión personalizada de la historia de la mul'ánima que, según él, "se aparecía a la hora de la siesta, deambulando entre los mistoles y los molles, para enredar con sus cadenas a los changos desobedientes y llevárselos a su cueva, de donde nunca más golvían".

Por supuesto, al mediodía siguiente los chicos ya habíamos olvidado la historia y volvimos a deslizarnos por los horcones de la galería para reanudar nuestras travesuras, pero al poco de andar oímos, a poca distancia, unos ruidos metálicos, además de golpes como de pisadas de un animal sobre la arena. Aquello fue suficiente; sin detenernos a investigar el origen de los ruidos y al grito unánime de ¡la mul'ánima, la mul'ánima!, huimos despavoridos, escurriéndonos como ardillas por los troncos hasta cubrirnos, como corresponde, las cabezas con las mantas de las camas.

Claro que ninguno de nosotros fue suficientemente valiente como para quedarse atrás y ver la sonrisa satisfecha de don Rudecindo, el peón-pedagogo, mientras desenganchaba (según me contara él mismo algunos años más tarde) el cencerrro y la cadena con que había atado a una rama de piquillín la vieja chiva, que había disipado definitivamente nuestras inquietudes aventureras.

## EL *RUNA-UTURUNCU* U "HOMBRE-TIGRE"

*Su nombre quechua se traduce, literalmente, como "hombre-tigre"[1], u "hombre-puma", según la región. Su hábitat, como así también el ámbito de difusión de la leyenda, se extiende desde la Región Noroeste (especialmente la zona de los faldeos andinos de Salta, Tucumán y Catamarca), a través de todo el Chaco santiagueño hasta la Región Mesopotámica, donde se lo conoce como* yaguareté-avá, *término en el cual* yaguareté *representa la componente felina y* avá = *"gente".*

Teresa Faro de Castaño consigna la narración de doña Amanda Barrionuevo, de 55 años, oriunda de Atamisqui, Santiago del Estero, quien describe al uturuncu como:

> "...un indio viejo, que en las noches de luna llena tiene el poder de transformarse en tigre cebao,[2] y así se come a todos los paisanos desprevenidos que no conocen el pago y se cruzan en su camino. Esto dura toda la noche, y a la madrugada se güelve pa las casas y se convierte de nuevo en gente, y se junta con sus amigos y hace su vida normal. No hay nada más pior que el runa-uturuncu, porque tiene el discurso de humano, y la ferocidad y la agilidad del tigre cuando se transforma.
>
> Sin embargo, cuando está de persona, a veces se lo puede distinguir porque lleva colgando del cuello un pedazo de piel de animal, como un escapulario; cuando quiere convertirse, se revuelca arriba de él, y ya se levanta tigre".

Cuando se le sigue el rastro a un uturuncu, no es extraño comprobar que las huellas de las garras se convierten paulatinamente en pisadas humanas, y otra de las formas de reconocer sus huellas es porque tienen cinco dedos. y no cuatro, como las de los grandes felinos. El runa-uturuncu del centro y el oeste del país parece más vulnerable a las balas que su congénere litoraleño, el yaguareté-avá, y algo menos violento y sanguinario que éste, aunque todas las versiones parecen coincidir en que ambos son mucho más agresivos que el animal cuya forma adopta. Cuando se encuentra en su forma felina, se alimenta exclusivamente de carne humana, casi siempre de personas que elige antes de su transformación.

La siguiente narración fue recogida en 1967 por Adalberto Sutes, en los pagos de la Cañada del Vinchina, narrada por Josefina Caamaño, maestra rural de la zona del Anchumbil, quien, a su vez, la había escuchado de labios de un anciano arriero, ya fallecido en ese entonces, bisabuelo de uno de sus alumnos.

El relato comienza cuando en los alrededores de Villa Unión y Las Maravillas, dos de los pueblos de la cuenca del Bermejo o Vinchina, empezaron a desaparecer cabras y ovejas en una cantidad alarmante; luego fueron los terneros, y finalmente vacunos y

caballos, con el agravante de que las huellas y los restos encontrados mostraban, sin lugar a dudas, que las muertes eran provocadas por un león cebado, y pronto comenzó a correrse en la región el rumor de que se trataba de un runa-uturuncu, es decir, un hombre en forma de león.[3]

Pero las cosas se pusieron realmente feas cuando apareció, destrozado y a medio devorar, un peón de la estancia El Pastizal

Grande, momento en que los lugareños decidieron que había que poner un "hasta ahí" a las tropelías del uturuncu. Pero dio la casualidad de que por aquel entonces había llegado al pueblo un medio indio llamado Pascual que, si bien era un hombre muy trabajador, sobrio y voluntarioso, vivía solo en medio de los faldeos del Cerro Víbora, y no era amigo de bajar al pueblo, ni de recibir visitas. Nadie sabía de qué vivía, pero según los que habían pasado por su rancho, casi nunca estaba en él, y cuando aparecía, recibía a los visitantes de una forma cortés, pero fría y distante, como si no quisiera que merodeasen por allí.

Y lo que resultó más sospechoso, tampoco quiso intervenir cuando se reunieron los hombres más fogueados del pago, y cada uno de ellos arrimó lo que pudo para atrapar a la fiera: armas, trampas, caballos, vituallas; especialmente, don Andrónico y don Esteban, que aportaron sus jaurías de perras leoneras, veteranas en las técnicas del *chacu*. Así se llama por estos pagos –explicó la maestra– una "ronda" o partida de caza para perseguir a un león cebado. Primero atan una mula o una yegua vieja a un árbol apartado, y después lo rastrean, porque el león tiene costumbre de tomar agua enseguida de comer, para luego echarse a dormir en alguna quebrada o cañadón bien oscuro.

Pero mientras el animal duerme, los paisanos se separan y cada uno de ellos ocupa en silencio un lugar alto, desde donde pueda dominar bien el portezuelo o el abra, y después de cruzar algunas señas preparadas, entran los rastreadores con los perros; éstos "levantan" al león de donde está durmiendo y lo sacan, pero como la fiera puede escaparse por los *chiflones* o las *chimeneas*,[4] para eso están los "topadores" (que son los que le han preparado el chacu), con otros perros de repuesto.

Y así le habían hecho al Pascual –ya todos daban por sentado que era el indio el que se transformaba en uturuncu–, y en eso don Esteban lo divisa entre los *jumes*,[5] como a unos veinte pasos, y grita:

–¡Hij' una gran...! ¡Ni que t'enterrís, que te vas a salvar de mis perras!

Pero la fiera se ha metido en un chiflón, y los mastines de arriba, que han ido a buscarlo, comienzan a saltar y saltar, pero sin encontrarlo. Parecía como si hubiera desaparecido dentro mismo de la grieta, y ni los hombres ni los perros de arriba del portezuelo lo veían. Don Esteban, cuando vio que las perras de abajo dejaban de *ocharlo*,[6] recorrió todo el cañadón, buscó abajo de los matorrales y las piedras, cortó la senda varias veces, buscó rastros y dio la vuelta, pero pronto tuvo que reconocer a los topadores de arriba que el uturuncu había desaparecido. Parecía mentira: sabían dónde había estado durmiendo, por dónde había saltado los matorrales y hasta cuál era el chiflón por el que había trepado, pero... "Ya se está haciendo noche –dijo resignado don Andrónico, reuniendo a sus perras que habían estado esperando en el alto–; mejor nos vamos antes de que salga la luna".

Hasta que un día, un pastor de cabras, buscando algunos animalitos perdidos, escuchó, cerca de un socavón, unos ronquidos demasiado fuertes para ser humanos. Se acercó con cuidado y vio un enorme león durmiendo a la sombra de un tala. Retrocedió en silencio y, tomando una enorme piedra, golpeó al animal en la cabeza, una y otra vez, hasta que vio, horrorizado, que con cada golpe, la fiera se iba transformando más y más en *runa* (hombre), aunque un runa con la cabeza sangrante y destrozada por las pedradas; para mayor desgracia del paisano, con cada golpe, la fiera se parecía más al infortunado indio Pascual.

Asustado por lo que había hecho, el criollo corrió en busca de sus vecinos, quienes volvieron para buscarlo y lo encontraron casi dentro de una cueva, hacia la cual se había arrastrado en los últimos estertores de su agonía. Al revisarlo, encontraron en el bolsillo interior de su saco una especie de escapulario hecho con piel de león, dentro del cual había un mechón de pelo de la cola del mismo animal.

A raíz de esto, un chango del pueblo recordó que en una oportunidad, él mismo había visto al indio que sacaba algo del bolsillo del saco, se frotaba el cuerpo con eso y se convertía en león, pero su versión no fue demasiado creída por los vecinos. Sin embargo, la duda terminó de disiparse cuando revisaron su rancho, y allí encontraron cueros de todo tipo de reses, charque humano, sillas y catres hechos con osamentas y toda clase de cosas que recogía en sus correrías.

Y ésa fue la triste vida del indio Pascual, de quien todo el pago se convenció de que era un ser poseído, sobre todo porque, con su muerte, se terminaron las tropelías del runa-uturuncu en la región.

# Notas

## La Salamanca

1. Llamado *rococo* o "sapo buey" en la zona del Chaco salteño y santiagueño y *cururú* en el norte del litoral, su nombre científico es *Bufo blombergii*, y es una de las variedades de sapo más grande que se conocen, llegando a pesar hasta 2 kg.

2. Según la mitología santiagueña, uno de los demonios preferidos del *Zupay*, depositario de una legendaria flor que devuelve la vista a los ciegos, pero que sólo utiliza cuando el destinatario le vende el alma a su amo.

3. Oriundo de los pagos de Salavina, Don Sixto alternaba su profesión de peluquero en esa ciudad con su vocación de "violinero", que lo ha llevado a ser muy popular en el ambiente del folklore argentino, especialmente por la pureza y el sabor tradicional de sus interpretaciones. También se especializó en la recopilación y narración de cuentos, leyendas y tradiciones de su provincia sobre los que se publicaron varios trabajos, de uno de los cuales se extrajo este fragmento.

4. *Ampalagua* o, más comúnmente *lampalagua (Constrictor constrictor occidentalis):* boa de gran tamaño, a la que se le atribuye el hecho de devorar a los niños que las madres dejan durmiendo mientras recogen frutas y bayas.

5. *Chilquero*: buscador de oro, especialmente los que buscan pepitas lavando la greda de los ríos de montaña.

## La picadura del hombre

1. Los *wichi* poseen un sistema cosmogónico de orientación shamánica, en el cual el término *pi'oxoná* designa al "médico brujo" principal, encargado de conducir teológica y socialmente a la tribu, actuando como sanador, augur, psicopompo, organizador de cosechas y cacerías, localizador de objetos y personas perdidas, etc. (véase el volumen *Shamanismo, pasado y presente*, en esta misma colección).

2. Probablemente una referencia a alguna variedad de liana del género *Bouganvillea*, especie de enredaderas leñosas utilizadas por las tribus chaqueñas como sogas.

3. Término de origen guaraní, quizás en referencia a una variedad de *yarará* (probablemente *Bothrops alternata* o *B. jararacusú*), la especie de víbora venenosa más frecuente en la región, cuyo veneno resulta mortal desde el momento mismo de nacer, tanto en virulencia como en cantidad.

4. Del guaraní *iñaca* = cabeza y *niná* = alerta, por su hábito de elevar el primer tercio de su cuerpo para impresionar a sus rivales: culebra de gran tamaño (*Hidrodynastes gigas*), frecuente en todo el noreste y centro-norte argentino.

5. Referido a la variedad *Crotalus durissus terrificus*, denominada "cascabel" por las terminaciones córneas de su cola, que producen un ruido como

una maraca al agitarlas; víbora sumamente venenosa, cuyo hábitat se extiende desde Brasil hasta todo el norte argentino, hasta el centro del país.

6. Literalmente, *Irojhai* = "nariz-para-arriba" y *mboí-pevá* = "culebra verde", probablemente en alusión a la culebra *Phylodrias baronii*, una culebra arborícola de nariz respingada y color verde brillante, a la que los aborígenes del norte argentino solían permitir cobijarse en los horcones de las chozas, a cambio de que limpiara sus viviendas de ratones y otras alimañas.

## El origen del maní

1. *Ruka*: tienda de cueros, generalmente de guanaco o ramas de araucaria, utilizada por los aborígenes patagónicos y pampeanos.

## El espantoso monstruo de la laguna

1. Personaje mitológico de origen araucano, llamado *huecuvü* o *huecufü* en lengua *mapuche*. (Véase Región Patagónica.)

2. *Matra*: manta mapuche o ranquel, tejida a telar con vistosos colores.

3. *Pomada de choique*: ungüento obtenido de los huesos del *choique* (avestruz). Especie de caracú que, bien macerado, servía como remedio para algunos dolores del cuerpo, o cicatrizante de heridas. Tenía un fuerte olor.

4. *Charque*: carne salada y secada al sol para aumentar su tiempo de conservación.

## La mul'ánima o alma-mula

1. *Rococo*: véase "La Salamanca", nota 1.

2. *Lechiguana*: llamada también "avispa alfarera", es un insecto del género *Odynerus*, que modela pequeños odrecitos de barro, de unos 3 cm de altura y 2 de diámetro, dentro de cada uno de los cuales coloca una oruga viva y paralizada que servirá de alimento a sus huevos; luego entierra la diminuta urna en la arena cálida, al reparo del sol, para que el calor fecunde los huevos.

## El *runa-uturuncu* u "hombre-tigre"

1. El término quechua *uturuncu* define, según la región, al *yaguareté* (*Felis onca*) o al puma o león americano (*Puma concolor*), pero al llegar los españoles se difundió la palabra "tigre", posiblemente por adaptación de los conquistadores europeos, que confundían al jaguar (*yaguareté*, en guaraní) con el tigre asiático.

2. Se califica de "cebado" al animal que, ya sea por vejez o por incapacidad física, se alimenta de carne humana, por ser más fácil de cazar.

3. En este relato, dada la región, el término *runa-uturuncu* alude probablemente a un puma o "león americano", ya que el *yaguareté* habita regiones inferiores en altitud, a la vez que más húmedas y selváticas.

4. Tanto las "chimeneas" como los "chiflones" son grietas verticales u oblicuas excavadas por la erosión eólica en las laderas rocosas; la diferencia

entre ambos radica en que las primeras son tubulares, como galerías, y los segundos se abren a cielo abierto, con lo cual provocan un silbido característico que les da su nombre.

5. Arbusto terebintáceo, similar a una espadaña o anea, que brota en el fondo de cañadas y abras por donde fluyen veneras o arroyuelos.

6. (sic) Probablemente se trata de una deformación de "ojearlo", en la acepción cinegética de espantarlo en la dirección hacia donde lo esperan los cazadores.

# REGION NORESTE,
# MESOPOTAMICA o GUARANI

# Tribus que poblaron la región mesopotámica

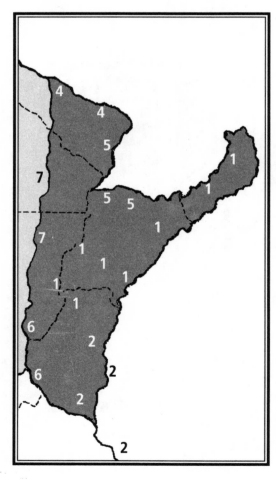

1 Guaraníes
2 Charrúas
3 Mocoretás
4 Chaná-timbús
5 Moconás
6 Querandíes
7 Corondas

# La laguna del Y-berá

*Esta profunda laguna, de aguas siempre límpidas y transparentes, que en épocas ancestrales le valieron el nombre de Y-berá (en guaraní "aguas brillantes"), ha sido siempre fuente de incontables cuentos, mitos y leyendas, muchos de los cuales, desafortunadamente, se han desvanecido en la noche de los tiempos.*

*Geográficamente, su espejo de agua, uno de los más vastos y caudalosos del país, se extiende desde el norte de la provincia de Corrientes, entre los intrincados esteros de los ríos Pucú, Carambola, Tacuaral y Caá Cupé, hasta terminar su laberíntico recorrido casi en el límite con Entre Ríos, donde los esteros de Pol, Avalos y Cabral, mediante el Arroyo Yacaré y los ríos Guayquiraró y Corrientes, vuelcan sus aguas en el Paraná, mientras que, a través del Miriñaí, sucede lo mismo hacia el este, desaguando finalmente en el río Uruguay, a la altura de la frontera tripartita argentino-brasileño-uruguaya.*

En los viejos tiempos, según cuentan algunos memoriosos, la laguna del Iberá (versión españolizada de Y-berá) era conocida como "los esteros de los *karakará*", nombre de las tribus prehispánicas que los poblaban y que tenían fama de crueles, probablemente a causa de su irreductible independencia, que hizo que opusieran tal resistencia a la invasión hispánica, que entre 1530 y 1540 perecieron en las inmensidades verdes gran cantidad de soldados y colonizadores.

A pesar de su denominación de "laguna", el Iberá es, en realidad, un inmenso estero, compuesto por pozones de aguas profundas, cursos rápidos y correntosos y, en su mayor proporción, bañados y áreas cenagosas de muy difícil acceso. Según los baqueanos de la región, muchos de ellos, especialmente los esteros e islas de la parte norte, jamás han sido pisados por el hombre. Pero la imaginería popular no se detiene allí, sino que también puebla los esteros con los más feroces e indescriptibles animales-monstruos que la mente pueda concebir: los eternos guardianes del *Ava-Kuarajhí*, Padre excelso de la raza *cario-guaraní*. La presencia amenazadora de estos animales fantásticos no puede menos que tenerse constantemente presente cuando se acampa o se viaja por las noches cerca de la laguna, escuchando los silbidos agrestes de las enormes *anacondas*[1] y *curiyús*[2], los feroces rugidos de los *yaguaretés*[3] y otros sonidos que quizás sea mejor no reconocer, pero que son a la vez temibles y confiables, ya que, según los "sabedores", ninguno de ellos nos hará daño si no intentamos lastimar a alguno de los seres vivientes del *Y-berá*.

Según la leyenda –narrada en esta oportunidad por un *payé*[4] *tupí*–, en las noches de tormenta pueden escucharse en las proximidades de los esteros norteños, largos y prolongados lamentos, acerca de los cuales algunos aseguran que provienen de espíritus irredentos que cabalgan en los relámpagos, o seres indescriptibles, condenados por *I-porá* (el Padre de las Aguas) a vagar eternamente por las sombras, custodiando la laguna.

Algunos "carpincheros", que suelen pasarse noches enteras en sus canoas, cuentan haber visto en esas noches tempestuosas al *I-porá* y aseguran que se trata de un enano repelente, de sucia y enredada melena roja y larga barba blanca, cubierto con una harapienta piel de carpincho.

Según ellos, el *I-porá* vive en lo más recóndito de los esteros, allí donde los hombres no pueden llegar, y es tan repulsivo a la vista, que trata de que no lo vean sino transformado en algún animal hermoso, ya que puede cambiar de forma a voluntad. Siempre de acuerdo con la leyenda, la razón de estas transformaciones es "que le gustan mucho las mujeres, pero como a éstas les resulta repugnante en su forma original, se cambia en cisne, corzuela o flamenco para acercarse a ellas y seducirlas después con sus *payé*".

Así, por ejemplo, en los días soleados y apacibles, cuando las mujeres se acercan a la laguna a llenar sus cántaros, el enano se transforma en una *espátula rosada*,[5] cuyos hermosos colores tientan a las muchachas que, ignorantes del peligro que corren, tratan de atraparla para confeccionar adornos con sus plumas. Entonces el *I-porá* ejerce su poder de transformar lo que desea, y reduce a la muchacha elegida a un tamaño diminuto, para así poder transportarla sobre su lomo, acariciándola dulcemente, hasta depositarla en su refugio, al cual nadie puede llegar.

López y Osuna, en sus *Leyendas misioneras*, relata que

> "...tampoco faltan quienes cuentan que, mientras se encontraban 'nutriando' por los canales, vieron al *I-porá* seguido de cientos de mujeres, o que han llegado a reconocerlo al atardecer, en la forma de un flamenco o una espátula, vadeando perezosamente los bajíos, llevando sobre sus lomos a sus hermosas miniaturas que entonan exquisitas endechas de amor hasta que, a medianoche, el enano profiere una serie de gritos estridentes y se refugia en su isla inaccesible, a disfrutar de sus interminables noches de lujuria, mientras los esteros se sumen en un silencio expectante y sepulcral".

A pesar de que ésta es una de las leyendas más difundidas sobre el *Y-berá*, no aclara, en realidad, el origen de la laguna, acerca del cual tuve la suerte de registrar una versión poco conocida, que fue mencionada en la estancia "Los Milagros" en el noreste de Corrientes, en las proximidades de la región conocida como "Bañado Naranjito", casi en su desembocadura en el río Aguapey. En esa oportunidad me fue narrada por un puestero de la estancia y, desafortunadamente, nunca tuve ocasión de escucharla nuevamente.

La historia se basaba en que, en el lugar que hoy ocupa la laguna, se erigía un fastuoso palacio, habitado por el poderoso cacique *Kay-kú* (Brazo de Hierro) y su esposa *Aind-Irá*, ambos admirados y venerados por sus súbditos. La princesa, en las noches en que *Yasí*, "el" luna, brillaba en su apogeo de plenilunio, danzaba para su amado en las terrazas de palacio, rindiendo culto al astro de la noche. Sin embargo, un *capí-payé* (shamán negro), que había sido expulsado de la tribu por su vida licenciosa, viéndola bailar se enamoró de ella y para lograr su amor invocó a los siete enanos servidores de *Kalú*, la diosa de la oscuridad y la maldad, quienes dieron muerte a *Kay-kú*, de modo que el hechicero pudiera satisfacer sus infames propósitos.

A continuación, los siete enanos ocuparon el palacio de la pareja real, formaron un harén de mujeres licenciosas y se entregaron a una vida de lujuria y corrupción. Sin embargo, *Yasí*, que había observado la innoble acción, bajó a la Tierra transformado en un enorme toro negro, aniquiló a todos los enanos y su corte y, con un estentóreo bramido, desató una furiosa tormenta, como jamás se había visto por esos pagos.

Al cesar los refucilos y disiparse la oscuridad, pudo verse que, en la zona que antes ocupaba el castillo, se había formado una gigantesca y hermosa laguna, de aguas azules y brillantes, cuya superficie brillaba diáfana y transparente bajo los dorados rayos del sol.

–Y cuentan los que saben –fue cerrando el narrador–, que en las noches de luna llena, *Yasí* baja para posarse suavemente sobre la superficie del agua, navegando por ella en una brillante canoa de luz...

Yo mismo escuché, de tanto en tanto, ensordecedores bramidos que brotan, según parece, de las partes más profundas y más escondidas de la laguna.

Y en esos casos, aunque a veces me pique el bichito de la curiosidad, yo siempre hago lo que me enseñaron los hombres sabios: quedarme muy tranquilo en el catre, bien envuelto en mi poncho, y esperar que pase la tormenta –concluyó el puestero, ante la aprobación de todos los presentes.

## La pequeña *Kauré-í*

Al Glacidium brasilianum, *pequeña ave rapaz residente en la Mesopotamia argentina, y sur de Brasil y Paraguay, se lo conoce vulgarmente por dos nombres comunes derivados del guaraní; el más difundido,* caburé-í, *proviene de la unión de los vocablos* caa = monte, selva *y* poré = habitante, morador, *que junto al diminutivo* -i = pequeño, *podría traducirse, por lo tanto, como "pequeño habitante del monte".*

*La segunda interpretación, menos difundida pero más ajustada a la leyenda, deriva del término* kauré = esclava, prisionera, *que afectado por* -i, *significaría "pequeña cautiva". Para comprender esta última acepción, recordemos la leyenda, cuya presente versión me fue contada por una anciana moconá en la región de los saltos del mismo nombre, en la frontera misionero-brasileña.*

Como lo hacía todos los días al levantarse, el anciano *arandú eté ymá*,[1] abandonó la choza para dirigirse al templo de *tobatinga* (piedra caliza) en que reposaban los restos de sus ancestros, y en el momento mismo de salir a la luz del sol, un remolino de música y color se agitó a su alrededor: miles y miles de pájaros volaron a su encuentro, posándose en sus hombros, enredándose en sus cabellos y llenando el aire de trinos. Pero, repentinamente, un silencio sepulcral cayó sobre la selva, mientras las aves escapaban rápidamente, asustadas por la insólita presencia de una mujer joven y hermosa, quien llegó corriendo e implorando la protección del *arandú*.

–¿Qué puedo hacer por ti? –preguntó el *payé*,[2] mientras la observaba en silencio. La joven lloraba con el rostro oculto entre sus manos pequeñas, que indicaban a simple vista que nunca habían sido ocupadas en trabajos pesados, al igual que sus tobillos finos y delicados, y sus cabellos, largos y hermosos, aunque ahora se encontraran sucios y enredados.

"Es una *mbyá*,[3] y de muy alta jerarquía" –pensó el *payé*, mirando los adornos de plumas, y luego le dijo–: Tú eres una *kauré*, es decir una prisionera prófuga de algún jefe poderoso; lo que no se me ocurre es por qué, siendo de rango tan alto, te encuentras tan desamparada y sola. Dime, *mbyá kauré*, ¿quién guió tus pasos hacia mi *maloka*?

–¿Eres adivino? –preguntó asombrada la joven–. Entonces sabrás que soy la esposa de *Guayrá*,[4] *mburuvichá*[5] de los *Guayráavá*[6] y *tendotara*[7] de los *Guayrá-ní*.[8] Pero sucedió que por un descuido, me adentré en el bosque sin escolta, y fui capturada por un grupo de *apay-teré*,[9] los enemigos tradicionales de nuestro pueblo. Afortunadamente, pude escapar, y el reflejo de tu fuego me guió en esta dirección, aunque temo que los "frentes-anchas" no tardarán en llegar aquí, persiguiéndome.

–No temas nada –la tranquilizó el *payé*, sin la menor convicción, mientras comunicaba a la *Guayrá-avá*, a través del esotérico sistema de los *katú-kiná-ru*,[10] que la *kauré* se encontraba bajo su techo, pero en inminente peligro.

El *arandú* escudriñó la espesura a través de todos sus sentidos; mediante dichos sentidos, no sospechados por los hombres, percibió la inquietud de multitud de seres que los rodeaban a él y la princesa, y que ahora parecían encogerse temerosos ante la presencia de vibraciones extrañas y hostiles. Y de pronto, confirmando sus sospechas, una horda de seres groseros, malolientes y ariscos se precipitaron reptando sobre ellos, mascullando un dialecto chirriante y desagradable.

Venciendo su terror, el anciano avivó el fuego y, elevando una plegaria de protección a su *tupichuá*,[11] puso sobre la hoguera una vasija decorada con mágicos diseños geométricos y colmada de un líquido verde y viscoso. Mientras el bálsamo se calentaba sobre la lumbre, el *payé* fumaba incesantemente un enorme cigarro de tabaco verde, con el cual logró generar una espesa humareda que pronto envolvió toda la escena.

Temporalmente oculto a la vista de sus enemigos, el *arandú* empuñó una vara de *ysipó-katí*, un junco delgado y flexible, sumergió el extremo en el líquido de la vasija y trazó con él varios signos sobre la frente de la joven, quien cayó luego al suelo, presa de convulsiones.

Al disiparse el humo del tabaco, los *apay-teré* irrumpieron en el claro dando alaridos y repartiendo mazazos a diestra y siniestra; sin embargo, poco había por destrozar: el shamán se hallaba en el suelo, como muerto, y la princesa había desaparecido. Inútil fue que el engendro que guiaba a los agresores tratara de interrogarlo; el *payé* parecía muerto y pronto lo estuvo realmente, con el cráneo destrozado por los golpes de los invasores.

En ese instante llegaron los *Guayrá-ní*, y pronto fueron dueños del campo, pero, al encontrar el cadáver del shamán, Guayrá comprendió que jamás volvería a ver a su amada, ya que el *payé* se llevaba el secreto a la tumba. Inútil fue que enviara mensajeros a las tribus vecinas, ni que hiciera azotar a los *apay-teré* sobrevivientes; tampoco ellos sabían otra cosa que lo que habían relatado: la danza del *arandú*, el humo, la mujer junto al fuego, y luego el diminuto pájaro que pareció aparecer de la nada y que, en esos momentos, trataba desesperadamente de no ser pisoteado por los guerreros.

Por primera vez desde la finalización de la batalla, Guayrá levantó al ave, contempló en silencio los dos penachos de plumas a modo de pequeñas orejas, observó la expresión fija y penetrante, pero a la vez dulce y tierna, de su mirada, escuchó el gorjeo suave y melodioso que surgía de su garganta y comprendió que se encontraba en presencia de una de las increíbles transformaciones operadas por los magos de su pueblo: seres convertidos en animales o plantas, pero a los que podía devolverse su humanidad si se les aplicaba el conjuro adecuado. Entonces, echando una última mirada al *payé*, acunó dulcemente al pájaro en su pecho y partió rumbo a su *tavá*,[12] pensando si lo que "un *arandú* había anudado en la tierra, algún otro podría desatar".

–Tómala y cuídala como a tu vida; es mi Kauré –dijo a la primera persona que salió a recibirlo al llegar a su palacio, que no era otra que *Guasú-virá*,[13] una sierva para ocupaciones menores, fea, bizca, desdentada y cubierta de cicatrices de viruela.

–¿La princesa...? –inquirió Guasú, pero el príncipe no le contestó y se apartó de ella, así como del resto de la tribu, huyendo de la compasión de su gente. Siguieron días aciagos para toda la tribu. *Poromó-ñangará*, el Supremo Hacedor, desató sobre *Ibí*, la Tierra, un diluvio como nadie, ni siquiera los más ancianos, recordaban haber visto jamás, haciendo que Guayrá pasara casi todo su tiempo en su hamaca, atento solamente a los gorjeos y movimientos del *kauré-í*, como ya había bautizado definitivamente al diminuto ser.

Hasta que una tarde, en que se sentía más solo que nunca y había salido a desahogar su angustia luchando a brazo partido con un yaguareté o un *anta*,[14] sintió de improviso un extraño estremecimiento y comprendió que no se trataba de la emoción de la caza. La imagen del rostro poceado y sin dientes de Guasú-virá colmaba su alma, y Guayrá supo que no podría escapar fácilmente de ese hechizo. En el portal de su *maloka* lo esperaba su destino, y juntos penetraron en el recinto que alguna vez había sido el refugio de los príncipes.

De inmediato, las muchachas de la *tavá* husmearon la noticia, preguntándose de qué medios se habría valido aquella vieja repugnante para sojuzgar la voluntad del cacique, y muy pronto la palabra maldita explotó de boca en boca: *¡Payé!* ¡A Guayrá le había sido administrado el *Añá-gualichü*,[15] y ya nunca lograría liberarse de él!

Movidas por la preocupación y, por qué no, también por la envidia, no faltó quien fuera a consultar a la solitaria arpía que habitaba las cuchillas de *Ibití-rusú* (Cerro Maldito), sin más compañía que el *mboi-tuí*, la serpiente con cabeza de cotorra que podía contar historias de todos los tiempos y develar los hechos más recónditos. Y el repulsivo oráculo desgranó revelaciones sólo a medias sospechadas: la esposa de Guayrá aún vivía, enmascarada bajo la apariencia del ave conocida como *kauré-í*, y bastaba la posesión de una de las plumas de su pecho para que la mujer que la poseyera pudiera dominar al príncipe, o a cualquier otro hombre que pretendiera.

"¡Pues entonces el cacique será mío!" –fue el pensamiento de todas y cada una de las hembras de la tribu, y en poco tiempo la maldición de la envidia y el despecho se desplomó sobre la casa real. Kauré-i parecía sospechar ignotos males futuros y se mostraba enferma de tristeza; no gorjeaba, no volaba, se apartaba de la luz del sol y rechazaba el alimento. Y esa noche, mientras el ave/princesa ensayaba tímidos trinos al amparo de la oscuridad, el infierno pareció desatarse sobre la maloka. Las mujeres del pueblo la sorprendieron amodorrada e indefensa, y el pajarillo pasó de mano en mano, estrujado y maltrecho, hasta que logró escapar, dejando algunas plumas en manos de sus agresoras.

En ese instante, un mágico halo pareció envolver a Guayrá, que dormía en su hamaca, y lo impulsó a marchar sobre el manto de luz que Yasí, la luna, extendía sobre la hierba, mientras que en sus oídos resonaba la dulce melodía de una de las endechas de amor que solía cantarle Kauré-í.

Sin tomar conciencia de lo que sucedía, Guayrá marchó lentamente hacia la música, cuyas caricias sonoras eran también flechas que atravesaban su alma. Sintió en su pecho la herida dulce del amor compartido; en su carne, la anticipación de lo sublime, y se dejó arrastrar por la presencia intuida, seguro de que marchaba hacia el objetivo final de su existencia. Aquella voz colmaba todo su mundo y encerraba en su mágico fluir el río, la selva, la belleza que lo estremecía y la pureza de lo anhelado.

Subyugado por sus sensaciones, Guayrá caminó hacia su destino casi con fiereza, sin mirar atrás, mientras la música etérea seguía llenando su silencio interior y acunando sus ansias. Colmaba igualmente su alma y su carne, y lo llenaba de una plenitud infinita.

No se dio cuenta –y de haberlo hecho, nada habría cambiado– de que un pavoroso abismo se abría bajo sus pies, y se precipitó sin un murmullo al viejo cauce reseco del torrente que lo había visto pescar cuando sólo era un *mitá*[16] de tres palmos de altura.

Y desde el fondo de la tierra, donde la insulsa sílice se transforma en diamantes y el humilde grano de *abatí* (maíz) en un orgulloso cetro empenachado de zafiros, se elevó un ave que cortó con su ávido vuelo el inmaculado cristal del amanecer; su raudo planeo se fundió con el de la otra, cuyos trinos habían comenzado nuevamente a regocijar la selva, y ambas se perdieron en alegre y armonioso vuelo. Sólo quedó flotando sobre el verde océano de palmeras y lapachos la alegría de la comunión definitiva de dos almas que se reintegraban a una interrumpida unidad anterior y que resurgían, juntas, de un infierno de soledad y desencuentros, finalmente superado para toda la eternidad.

# I-RUPÉ Y LA PASIÓN DE Y-Á-CARÉ

*Denominada científicamente Victoria regia, esta planta acuática, conocida popularmente como "irupé" (I-rupé, en lengua guaraní),*[1] *pertenece a la familia de las Nympheaceae, orden de las Nelumbonaceae. Las hojas, unidas al pecíolo por el centro (peltadas), son redondas, con un reborde en forma de plato y de gran tamaño, ya que llegan hasta a los 2,5 m de diámetro, ocupando la planta completa un área total de hasta 150 m²*.

*Las flores son grandes, de color blanco con el centro rojo y alcanzan hasta 40 cm de diámetro; crecen en medio de las hojas y no en la periferia, lo que hace muy difícil acercarse a ellas, ya que los pecíolos, tanto florales como foliares, poseen proyecciones descendentes duras, semejantes a espinas, que pueden provocar profundas heridas.*

–Como todas las cosas creadas por *Poromó-nangará*, el Supremo Hacedor, esa planta que usted ve allí, también tiene su origen y su historia –afirmó el *paí Guaián*,[2] señalándome un puñado de flores blancas que yo hasta entonces había oído mencionar como "victoria regia" y, sólo ocasionalmente, como "irupé", aunque sin conocer el significado del término–. Y esta leyenda demuestra hasta qué punto los dioses pueden ser malos cuando se trata de recordar las leyes que le imponen a los humanos.

Este fue el seductor prólogo de una de las leyendas más atractivas que haya escuchado, y que, posteriormente, por problemas de registro, traducción y digresiones ocurridas durante el relato, debí sintetizar e interpretar en mi propio estilo, aunque tratando de no desvirtuar su profundo contenido mítico y folklórico.

Allá por el norte de lo que hoy llamamos Misiones, y que antes sabía ser territorio Guayrá, un grupo de *orevá* festejaba, junto con sus parciales, el éxito de una expedición guerrera al país de los *saimirí* (los "señores del oro"); allí había *charrúas* de caras pintadas de blanco, negros *karayá* cubiertos de azul y bermellón, *tobatí* llegados de las cuchillas del oeste y muchas otras tribus, todos ellos agradeciendo la victoria sobre sus enemigos, mientras terminaban de devorar los restos del *pecarí*[3] sacrificado en honor a *Kuarajhy*, el Dios Sol, y esperaban la danza ritual de las vestales consagradas a él.

Entretanto, un joven *hopí guá-cará* (guerrero pintado de añil), jugueteaba con su bastón de cola de *taragüí*,[4] atrayendo la atención de sus compañeros con relatos de sus exploraciones. Regresaba de *Kaa-ibí-mirí* (la Tierra de la Hierba de Oro), donde había recorrido sus arenas auríferas y rondado por las afueras de la ciudad de *Paitaití*, célebre por sus murallas tachonadas de piedras preciosas y cuidadas por feroces yaguaretés sujetos a las puertas con cadenas de oro.

–Y por casualidad, ¿no viste al *teyú-yaguá*[5] que custodia esos tesoros? –preguntó uno de los guerreros, algo envidioso de la atención que despertaba la narración de *Y-á-caré*,[6] así llamado por su conocida afición al agua.

–¡Por supuesto que lo he visto! –saltó el mozo, amoscado– pero me libré de su *harú* (aliento maligno), porque me había cubierto con la grasa de *taguató-yá* (gavilán amarillo) que me dio el *avaé-payé*[7] para protegerme.

–¡Cuenta, cuenta! –intervinieron otros, ansiosos–, ¿cómo es el *teyú-yaguá?*

–¡Es espantoso! –aseguró Y-á-caré–. La mitad que es lagarto está cubierta de escamas verdes tornasol, como las alas de los *curís* (escarabajos), y en la cabeza de yaguareté refulgen dos ojos como carbunclos...

–El sonido de los tambores silenció el relato del mozo –continuó el relato del *paí*–, mientras entraban en el ruedo las bailarinas consagradas a *Kuarajhí*, que formaron un círculo alrededor del *ajú-viraró*,[8] dispersando con los pies descalzos los coágulos de sangre del *pecarí* sacrificado. Inmediatamente, Y-á-caré quedó absorto contemplando a una de las jóvenes del ruedo, de nombre *Ollampí*, cuyo hechizo la destacaba del reptil humano que giraba alrededor del árbol caído.

Delgada, de rasgos delicados y ojos de obsidiana, la niña podría haber sido la imagen de un ídolo tallado del corazón de un *guayacán*.[9] Su *tipoy ñandutí*[10] se hallaba cubierto de pétalos de ceibo, entrelazados con morados granos de maní y porotos, del mismo color que la corona de flores que ceñía su frente.

Mientras Y-á-caré la miraba arrobado, llegó el momento de las libaciones en honor al dios; una de las bailarinas escanció el *cauhy* (aguardiente ritual de zarzamoras) al cacique *mbay*, luego a los otros, que bebieron del mismo cazo, por riguroso turno, y finalmente a los guerreros, que aceptaron gustosos los vasos de *mbocayá*[11] pródigamente distribuidos por las vestales.

El licor comenzó a hacer su efecto, llevando a los guerreros a un estado de euforia irrefrenable, al cual siguió una embriaguez más grave y turbadora; el joven e inexperto Y-á-caré, quien había bebido el *cauhy* a cántaros, sin lograr aplacar la sed por la joven vestal que ahora descansaba la fatiga de la danza a la sombra de un frondoso timbó, sintió sus entrañas agitarse ante aquella visión.

–¡Será mía esa *guaina*![12] –masculló entre las nieblas del alcohol y la excitación, y se incorporó, dispuesto a cumplir su propósito.

–¿Adónde vas? –le preguntó un guerrero, tratando de retenerlo–. ¿Acaso no sabes que es intocable? *Kuarajhí* fulminará a cualquiera que ose tocar a una de sus sacerdotisas.

–¡No me interesa! –masculló el joven, obnubilado por su idea. Conocía los riesgos, pero la sensación misma del sacrilegio exacerbaba sus ansias. Costara lo que costase, él convertiría a aquella joven en su *I-rupé*, a quien, en su imaginación desbocada, imaginaba necesitada de la hamaca de un pecho masculino para reposar de su cansancio. A la anticipación de tomarla entre sus brazos se sumaba la excitación soberbia de enfrentar por ella la inconmensurable ira de los dioses.

Ante su ataque, Ollampí se desprendió de sus brazos entorpecidos por el licor, huyó a través del monte y, guiada por las luces intermitentes de los *isondú* (luciérnagas), llegó al río, que refulgía como un lecho de diamantes bajo el cielo espolvoreado de estrellas.

Frente a la corriente, imposibilitada de seguir huyendo, Ollampí aferró con ambas manos el *mboy-poty ajhóyá*[13] que protegía su virginidad consagrada a *Kuarajhí* y, cerrando los ojos, evocó uno tras otro los "cuatro más tres nombres" de las *ei-chú*[14] servidoras del dios, a quienes pidió fuerzas para cumplir con su destino. Luego, al percibir los pasos de Y-á-caré, que se precipitaba sobre ella con el rostro contraído como un monstruo engendrado por *Añá*, se aferró al talismán y su cuerpo hendió la superficie cristalina del río, buscando en sus profundidades el alivio a su miedo y su desesperación; sobre la tersa superficie sobrenadaron, cual coágulos de sangre, los adornos de su túnica y su cabellera.

–¡No te ahogarás! –aulló Y-á-caré, en el paroxismo de su furia–. ¡Por algo me llaman "el que se mueve sobre el agua"! –exclamó. Al cabo de unas cuantas brazadas, distinguió, no lejos de él, el cuerpo cetrino de la virgen, infinitamente más bello, ahora que se aproximaba a su inmolación. Se parecía a *Y-yaryic*, el hermoso y ubicuo genio de las aguas, mujer para los hombres y hombre para las mujeres, que arrastra a sus víctimas a las profundidades, para liberarlas luego convertidas en camalotes o nenúfares.

Al divisar el cuerpo inerte, Y-á-caré no vaciló un instante; su furia había desaparecido, y ahora una confusa mezcla de arrepentimiento y amor puro y límpido impulsaban su cuerpo hacia el de su amada. Trató de aferrarlo, pero a la tenue luz de las estrellas descubrió que tenía entre sus manos una extraña flor, cuyos múltiples y grandes pétalos, blancos en los extremos, luego rosados y finalmente rojos en el nacimiento, parecían brillar con una luz interior.

Pero Y-á-caré no se detuvo a contemplar la belleza de la flor; en el paroxismo de su frustración la arrojó lejos de sí y continuó su búsqueda, zambulléndose y emergiendo hasta agotar sus fuerzas, para luego recostarse exánime en un banco de arena. Mientras tanto, la hermosa corola resplandeciente se reflejaba en la superficie, tibia y viva, subiendo y bajando con las ondas, como una doncella juguetona.

La tibieza del amanecer despertó al joven, que se sintió más solo que nunca: su orgullo montaraz se rebelaba contra los dioses y su furia lo incitaba a desgarrar la trama letal en que había quedado atrapada la muchacha; exploraría hasta la última *itákuá*[15] del río y arrancaría a su amada del seno de las aguas, hasta traerla de nuevo a la vida. Pero mientras él buscaba en las profundidades, en la superficie del río los pétalos de nieve, rosa y sangre flotaban corriente abajo, en busca de la gélida mordedura salada del mar.

Y cuenta la leyenda que aquel mediodía, bajo la rutilante mirada de *Kuarajhí*, se arrastró por el lodo del bajío un saurio gigantesco, que parecía surgido de la peor pesadilla de un ser atormentado por el dolor; tan espantoso era, que muchos de los que lo contemplaron por primera vez murieron de puro terror, hecho que dio lugar a que, hace mucho tiempo atrás, se le adjudicaran al *yacaré* (nombre con el que luego se lo conocería) la mirada y el aliento mortal del *teyú-yaguá*.

Aún hoy podemos verlo, tendido sobre la arena de la playa, con el áspero cuello dirigido hacia la corriente, las fauces entreabiertas, como presa de una sed inextinguible, y los ojos sin párpados, fijos sobre esos irupés que contemplará sin ver por toda la eternidad.

# El NACIMIENTO DE *KAÁ-GUASÚ*: LA YERBA MATE

*Como no podía ser menos, dada la popularidad de su principal infusión, el mate, existen numerosas versiones sobre el origen de la Ilex paraguariensis, o yerba mate, un arbusto del género de las Aquifoleáceas, cuyas hojas contienen una apreciable cantidad de un alcaloide denominado teína (similar a la cafeína), de considerable acción estimulante. En esta oportunidad mencionaremos dos de estas versiones, la primera de las cuales es de origen netamente guaraní, mientras que la otra, innegablemente poscolonial, sugiere, nada menos, que el mate no es de origen sudamericano, ¡sino español!*

–A lo mejor usted no lo sabe –comentó don Antenor Frías, conocido mimbrero de la localidad de Paso Rubio, cerca de Goya, Corrientes–, pero esto que está tomando le fue concedido al hombre por *Yasí*, la Luna, en persona.

–¿Cómo es eso, don Frías? –pregunté. En realidad, yo ya había leído una versión de esta leyenda, pero no estaba dispuesto a perderme la oportunidad de escucharla de boca de un narrador de las mentas de "don Ante" –como le decían en el pueblo– y sabía que hacerme el ignorante era la mejor manera de conseguirlo.

–Así es, nomás –me aseguró el paisano mientras acomodaba pacientemente las brasas del fogón. Sabía que tenía el pez en el anzuelo y se tomaba su tiempo para recogerlo.

–Es que *Yasí* es muy curiosa –continuó cuando quedó conforme con el fuego–, y aunque todas las noches se pasea por el cielo, alumbrando las copas de los árboles y la superficie de los esteros, un buen día se dio cuenta de que todo lo que conocía de la selva era lo que veía desde arriba: los ríos, las cascadas, el colchón verde de los árboles... pero que no sabía nada de lo que pasaba en el suelo. Así que quiso ver por sí misma las maravillas de las que le habían hablado el sol, la lluvia y el rocío: los coatíes cazando al atardecer, las arañas tejiendo sus telas, los pájaros empollando sus huevos; en fin, todas esas maravillas de la naturaleza que los hombres estamos tan acostumbrados a ver, que ya no les prestamos atención.

Hasta que un día se decidió; la invitó a *Araí*, la nube, y juntas se fueron a pedirle autorización a *Kuarajhí* para que las dejara bajar a la Tierra.

–Está bien –les contestó el dios Sol–; yo les doy permiso, pero desde ya les digo que cuando lleguen allá tendrán las mismas debilidades que los seres humanos y estarán expuestas a los mismos peligros, aunque ellos no puedan verlas a ustedes.

–A la mañana siguiente –reinició don Ante, después de cambiar la cebadura–, tempranito nomás, ya estaban las dos muchachas recorriendo la selva, paseando entre los *timbó*[1] y los quebrachos, jugando con los *caí-carayá*,[2] charlando con los *araracá*,[3] admirando las plumas de los coloridos *mbytú*[4] y los metalizados *mbaé-í-humbí*[5] y riéndose de las patas chuecas de los *aba-caé* u osos hormigueros.

Caminaron durante horas entre gigantescos lapachos y urundays, abriéndose paso entre los bejucos y las lianas y tejiendo collares y coronas de orquídeas y *mburucuyás*.[6] Así, hasta que llegó el mediodía y, como si hasta ese momento no lo hubieran notado, llegó hasta ellas el rumor sordo e ininterrumpido del monte, entretejido por el parloteo estridente de los loros, el graznido de los halcones, el martilleo del pájaro carpintero y todos esos otros sonidos que no se pueden definir con precisión, pero que forman parte de esa vida bullente y siempre renovada de la selva.

Todo aquel bullicio, sumado a su inexperiencia, hizo imposible que escucharan los sigilosos pasos del yaguareté, famélico después de una larga noche de infructuosa cacería. La bestia, agazapada junto a una mata de *quillembay*,[7] rugió furiosa en el momento del ataque, mientras las diosas cerraban sus ojos, esperando los zarpazos que acabarían con su frágil vida humana. En lugar de ello, oyeron un silbido y un golpe sordo, tras el cual el salvaje bramido se tornó en gemido cuando una flecha, disparada por un joven cazador guaraní que pasaba accidentalmente por el lugar, se clavó profundamente en el flanco expuesto del animal.

Enfurecida de dolor, la fiera se revolvió contra el cazador, abriendo sus fauces aterradoras y sangrando por el costado, pero una nueva flecha acabó con su agresión. En medio del fragor de la lucha, el joven cazador *cypoyai*[8] creyó entrever la silueta de dos mujeres que huían despavoridas, pero luego, al revisar los rastros, no vio más que la sangre derramada del yaguareté y los arañazos de sus zarpas en la hierba, y creyó haberse equivocado.

El *cypoyai*, orgulloso frente a su primer jaguar, sacó su cuchillo, desolló cuidadosamente al animal y luego se acostó a la sombra de un ceibo. Agotado por la excitación de la caza, durmió

profundamente y, mientras lo hacía, soñó que dos hermosas mujeres, de piel blanca como la espuma del río y rubias cabelleras como nunca había visto, se acercaban a él y, llamándolo por su nombre, una de ellas le decía:

—Yo soy Yasí, y ella es mi amiga Araí; volvimos para agradecerte el habernos salvado la vida. Fuiste muy valiente al enfrentarte al yaguareté para defendernos, y por eso voy a entregarte un premio que te envía Kuarajhí. Más tarde, cuando llegues de vuelta a tu *maloka*,[9] encontrarás junto a la entrada una planta que no reconocerás; la llamarás *kaá*, y con sus hojas podrás preparar una bebida que acerca los corazones solitarios y ahuyenta la nostalgia y la tristeza. Es mi regalo para ti, para tus hijos y para los hijos de tus hijos...

Luego, en su sueño, el joven cazador creyó ver que las dos muchachas se alejaban entre los árboles, seguidas por una bandada de mariposas blancas, y enseguida fueron solamente un resplandor entre los arbustos. Pero al atardecer, al llegar a su *tavá*,[10] él y los miembros de su familia vieron un nuevo arbusto de hojas ovaladas y brillantes que brotaba por doquier. Ante el asombro de todos, el joven *cypoyai* siguió las instrucciones de Yasí: picó cuidadosamente las hojas, las colocó dentro de una pequeña calabacita seca, de las que empleaban usualmente para beber el *cahuy* y la llenó con agua fresca del arroyo. Luego buscó una caña fina, la introdujo en el mate y probó la nueva bebida. Al comprobar que calmaba rápidamente su sed, y saborear su agradable dejo amargo, invitó a sus familiares y, no contento con ello, abandonó la *maloka* y llamó a sus vecinos, para hacerles probar su nuevo hallazgo. Pronto el recipiente fue pasando de mano en mano, y en poco tiempo toda la tribu había adoptado la nueva infusión: ¡había nacido el mate!

–Así que imagínese, mi amigo, lo que hubiera pasado si aquel cazador no le hubiera acertado al yaguareté.

–¿Que no tendríamos mate? –pregunté, inocentemente.

–¡Estos puebleros! –exclamó el mimbrero, meneando la cabeza–. ¡Siempre atoraos, como rococo que se ha tragao un *torito*![11] No sólo no tendríamos mate... ¡es que tampoco tendríamos luna! –concluyó entre las risas de los presentes.

*La segunda versión la menciono sólo a título de curiosidad, ya que no he podido encontrarla más que en una nota sobre el origen del mate como infusión, publicada por el matutino* La Prensa *hacia el año 1981, y firmada por la ecónoma y experta en gastronomía Emmy de Molina:*

El historiador Ruy Díaz de Guzmán atribuye a Hernando Arias de Saavedra el descubrimiento del uso de las hojas de "yerba mate" por los indios, en 1592, y a los jesuitas radicados en la región de las misiones (en la actual provincia homónima) el reemplazar las tisanas que acostumbraban a preparar con hierbas traídas de sus países nativos, con infusiones de yerba mate, para luego adoptar la bombilla que utilizaban los indígenas, pero con agua caliente, dando así origen a una costumbre que se popularizó rápidamente.

Lo cierto es que los jesuitas fueron los primeros cultivadores de la *Ilex paraguariensis*, como lo atestiguan los sembrados establecidos en las 32 colonias litoraleñas hacia el siglo XVIII, aunque, a diferencia de otros vegetales, como el maíz, la papa, el tomate y la batata, no tuvo repercusión cuando fue transplantada al Viejo Mundo.

## EL *POMBERO*

*Además de la Región Chaco-Santiagueña, el* pombero *tiene gran difusión en la zona litoraleña argentina, especialmente en las provincias de Misiones, Corrientes y el noreste de Santa Fe, aunque con algunas pequeñas discrepancias respecto de su congénere quechua.*

A diferencia de su primo santiagueño, el *pombero* mesopotámico no tiene una figura espigada y alta, sino que se lo describe como un duendecillo bueno, que ayuda a quien le pide protección y deambula por la selva, cuidando los pájaros y los árboles de las personas dañinas y desaprensivas. Para ello (y esto es lo que lo distingue fundamentalmente de la versión chaco-santiagueña), puede adoptar distintas formas, como la de un animal feroz, un indio, un árbol o lo que considere necesario, aunque, generalmente, se lo ve como un enano rechoncho y pequeño, de no más de 1,20 m de altura, pantalón desflecado a media pierna y una camisa o chaleco que lleva por fuera de los pantalones.

En Misiones se le atribuyen características y funciones parecidas a las del *sachayoj*, un personaje mítico *quechua*, ya que, al igual que éste, anda a grandes trancos por el monte, protegiendo a la naturaleza de los depredadores humanos. Cuando escucha voces acude rápidamente y se esconde entre los árboles, para enterarse de quién ha penetrado en su mundo y qué intenciones trae. Si ve que los intrusos se preparan para cazar o atrapar algún animalito, o derribar un árbol, aplica todos sus trucos para evitarlo, como imitar el rugido de un animal salvaje o la voz de uno de ellos llamando a sus compañeros, hacer ruido para espantar la presa y hasta descargar repentinos aguaceros, que hacen que los invasores busquen reparo rápidamente.

También espanta a los niños cuando merodean por el bosque al atardecer, a la caza de *cocuyos*,[1] derribando mariposas con ramas de paraíso o ahumando panales de *ei-re-té*[2] para robarles la miel con que alimentan a sus crías; en estos casos, una de sus tretas más frecuentes consiste en apagarles los fuegos, de modo que las avispas recuperen su agresividad y persigan a los ladrones. Otro de sus recursos preferidos es el de piar, silbar o imitar el canto de los pájaros para, de esa forma, distraer a los cazadores y apartarlos de sus presas verdaderas.

## El tormento de *Karaú*

*Conocido principalmente por la onomatopeya de su grito, el Aramus guarauna, como se lo denomina científicamente, es un ave acuática del litoral mesopotámico argentino, llamada también "caracolero", "bandurria", "garza mora", "cuervo de bañado", "viuda loca" y "Carmen", entre otros nombres más regionales.*

*Puede verse en casi todo el norte del país, casi siempre a orillas de esteros y lagunas, y su leyenda, ampliamente difundida en la Región Mesopotámica, es muy similar a la del crespín, a tal punto que muchos autores las unifican, atribuyendo sus diferencias a meras circunstancias regionales.*

Mientras que muchos autores sostienen que la leyenda del Crespín (véase pág. 21) deriva de la del *Karaú*, basándose en el hecho de que transcurre en un tiempo aparentemente anterior, otros afirman que pueden haber surgido espontáneamente, dado que el tema de la persona desaprensiva, que descuida sus deberes hasta el punto de provocar la muerte de un ser amado, no resulta extraño en la literatura y las tradiciones populares.

Sobre esta trama básica, la "Crespina" santiagueña está encarnada aquí por *Karaú*, un joven indio guaraní que, al ir en busca de un remedio que le solicita su madre enferma, se demora en el camino, atraído por el bullicio de una fiesta; de esa forma, provoca indirectamente la muerte de ella, al no llevarle la medicina a tiempo, a pesar de haber sido advertido repetidas veces de que la anciana reclamaba su presencia.

Sin embargo, la lección implícita del ser humano transformado en animal como castigo por una falta imperdonable, es uno de los temas frecuentes entre las leyendas populares, cuyo trasfondo siempre conlleva intenciones didácticas, procurando evitar que quienes las escuchan cometan los mismos errores que sus protagonistas.

## EL *YASÍ-YATERÉ*

*El* Yasí-yateré *(lit.: "generado por la esencia lunar") es (hecho insólito entre las leyendas carias) un joven hermoso, enano, aunque no deforme, rubio y de larga barba y cabellera, que recorre los montes sin otras vestiduras que un amplio sombrero de paja y un bastón de oro del que jamás se aparta, por ser el instrumento que le permite ejercer sus poderes sobrenaturales, entre ellos, los de la invisibilidad y la levitación. Se dice que el puño de ese bastón es, además, una especie de instrumento de viento que, al soplarlo, produce un sonido estremecedor que advierte su presencia e inquieta a las mujeres que lo escuchan después del atardecer. Otras versiones afirman que el silbido procede de un pájaro que siempre lo acompaña, pero las representaciones son tan variadas y confusas que no resultan creíbles.*

*Otras descripciones, que no comparto, sostienen que es un anciano feo, rengo y decrépito, cuyos pies están vueltos hacia atrás y que en las manos, en vez de bastón, lleva una caña o vara con las que azota a las muchachas que encuentra en su camino.*

Según las más antiguas leyendas guaraníes, que han podido rastrearse hasta las épocas prehispánicas, el Yasí-yateré habita en la selva, guareciéndose en los troncos caídos y en las cuevas ribereñas, de donde sale a la hora de la siesta y, con frecuencia, también por las noches, especialmente durante el plenilunio. Una de sus actividades más frecuentes consiste en raptar niños descuidados por sus madres, para jugar un rato con ellos, lamerlos y dejarlos luego cerca de sus casas, envueltos en pañales de hojas atados con enredaderas.

Sin embargo, su diversión predilecta es la de secuestrar muchachas hermosas para satisfacer sus apetitos sexuales, uniones de las cuales nacen luego criaturas físicamente normales, pero que presentan las características e inclinaciones de su padre. Los niños raptados por el Yasí- yateré suelen ser reconocidos porque sufren un violento ataque de epilepsia al cumplirse un año justo de su secuestro.

Según las versiones más difundidas, el duende rubio era originalmente un joven tímido y apocado, de nombre *Ruí-ruí-vaé*, (literalmente, "joven triste y melancólico"), de complexión débil y cuerpo enjuto y macilento, cuya sombra, de acuerdo con las más antiguas tradiciones guaraníes, carecía de cabeza, señal inequívoca de que moriría en poco tiempo.

Obsesionado por el color blanco, que consideraba el epítome de la pureza, desdeñaba a las muchachas de la tribu que, pese a sus cinturas gráciles y sus cuerpos esbeltos, eran de piel morena y cabellos renegridos, razones suficientes para su desprecio. En cambio, era un ferviente enamorado de las garzas albas, las flores níveas, las corzuelas y los conejillos bancos, con los cuales solía encerrarse para acariciarlos y alimentarlos con las golosinas preferidas de cada uno de ellos.

Finalmente, sucedió que una noche de luna llena, paseando por la ribera del río, descubrió que el reflejo de Yasí sobre las aguas se extendía hasta la orilla misma, ofreciendo a sus locas ansias un plateado puente para unirse con el objeto de sus amores: la blanca luna que, noche a noche, seguía en su periplo celeste, como un perro sediento sigue un cántaro con agua.

Por fin, el milagro se realizaba: la diosa le brindaba un medio de llegar hasta ella. Mudo de emoción, contempló aquel camino de luz, ansioso de comenzar a recorrerlo, sin poder prestar atención a nada más en el mundo. Pero detrás de él, escondido entre unas rocas, se encontraba *Kurupí*, el genio maléfico de la sensualidad descarriada, generador de todos los amores equívocos y tortuosos que se arrastran por este mundo.

Ansioso de aprovechar la oportunidad que se le presentaba, *Kurupí* transformó el reflejo lunar en un quimérico camino de ensueño, al cabo del cual el obnubilado Ruí-ruí-vaé entrevió una deidad blanca que se mecía sobre el agua lunada. Su cuerpo estilizado y flexible semejaba una niebla diamantina y su voz sonaba como el murmullo acariciante de la nívea espuma de una cascada. Ruí-ruí-vaé emitió un desgarrador gemido de expectación y de un solo salto se sumergió en las profundas aguas del río.

Satisfecho, Kurupí recogió su collar de fuego y se alejó de la orilla, sonriendo complacido de su obra.

Nadie volvió a ver al macilento joven paseando su enjuto cuerpo por los senderos bañados por la luna, pero una medianoche, justo durante el primer plenilunio de primavera, las aguas del río se agitaron con un temblor extraño, y en el mismo sitio en que se sumergiera el infortunado Ruí-ruí-vaé, se originó un remolino que reflejó los rayos lunares hacia mil direcciones diferentes. Desde el vórtice mismo del fenómeno surgió un deslumbrante rayo blanco que se fue condensando sobre sí mismo, hasta plasmarse en una pequeña figura humana, blanca y de rubios cabellos, que se desplazó grácilmente sobre las aguas, hasta llegar a la orilla: había nacido Yasí-yateré, el "ser generado por la esencia lunar"

Desde ese entonces inmemorial, el duende rubio se mantiene incorruptiblemente joven, y el cetro de oro en que se apoya tiene mucho que ver con su juventud eterna. Sátiro audaz y descarado, se esconde entre las frondas para robar los tesoros de virginidad a las muchachas, con las cuales procrea únicamente hijos varones que perpetúen su nombre y sigan sus principios. Ninguna mujer puede resistir a su hechizo animal, potenciado por la magia de su bastón.

Según dicen, el ave que anuncia su presencia es la encarnación alada de una de sus víctimas, y cuando su trino quiebra el silencio tórrido de las siestas litoraleñas, las muchachas y los niños corren a refugiarse en un lugar seguro.

Y cuando maduran los trigales, las muchachas evitan trabajar en las eras en las horas del mediodía, temerosas de encontrarse con este duende irresistible.

O quizás temerosas de no encontrarlo...

## Notas

### La laguna del *Y-berá*

1. *Anaconda* (*Eunectes murina*): gigantesca boa amazónica que alcanza los 12 m de longitud, de la cual se dice que devora vivos a quienes pretendan causar daños a cualquier ser vivo de la región.

2. *Curiyú* (*Eunectes gigas*): de la misma familia y género que la anaconda, cumple funciones similares, aunque su longitud no suele sobrepasar los 5 metros.

3. *Yaguareté*: véase nota 1 de "El runa-uturuncu".

4. El término *payé* define básicamente al shamán o médico-brujo de la

tribu, pero, por extensión, se vincula a todo lo mágico, mítico o misterioso, entre los que se encuentran los filtros para el amor, pócimas y encantamientos, tanto para fines benéficos como malignos.

5. *Espátula rosada*: bot., *Ajaja ajaja*, ave similar al flamenco, de menor tamaño y color similar, cuyo pico se abre en forma de espátula, hecho del cual deriva su nombre.

## La pequeña *Kauré-í*

1. Literalmente: *arandú* = el que conoce los arcanos de la naturaleza; *eté* = sucedidos antiguos; *ymá* = el que cuenta. Puede traducirse como "narrador de hechos antiguos" o "historiador".

2. Véase nota 4 de "La leyenda del *Y-berá*".

3. *Mbaí*: tribu guaraní del norte, cuyos integrantes alcanzaban los niveles más altos dentro de la "avaidad".

4. *Guayrá*: legendario cacique prehispánico, con cuyo nombre se bautizó una región del Alto Paraná.

5. *Mburuvichá*: literalmente, el que ostenta el poder. Jefe o cacique.

6. *Guayrá-avá*: "habitantes" o "gente" del *Guayrá*.

7. *Tendotara*: lit.: "el que posee el poder militar"; por extensión, el que marcha adelante en las batallas.

8. *Guayrá-ní*: guerrero del Gauyrá.

9. También *apayteré*; literalmente, "frente ancha", probablemente en alusión a los *guaycurús* o tobas, que llevaban la frente afeitada.

10. *Katú-kiná-rú*: especie de sacerdotes, pertenecientes a una mítica tribu amazónica, que ayudaban a las tribus aliadas contra sus enemigos.

11. *Tupichuá*: especie de espíritu protector, generalmente de un ancestro; equivalente al ángel de la guarda cristiano.

12. *Tavá*: pueblo, caserío o conjunto de *malokas*.

13. *Guasú-virá* (*Mazama gouazoubira*): cérvido de tamaño mediano, hoy en vías de extinción debido a las bondades de su piel.

14. *Tapir* (*Tapirus terrestris*): mamífero perisodáctilo, de hocico alargado, semejante a una trompa truncada.

15. *Añá gualichü*: de *gualichü* = hechizo y *Añá* = espíritu del mal en la mitología guaraní.

16. *Mitá*: niño, especialmente los de familias de alcurnia o de la realeza.

## *I-rupé* y la pasión de *Y-á-caré*

1. Literalmente, de *I* = partícula diminutiva en el sentido físico o de tamaño, y *rupé* = pareja, amante.

2. *Paí*: título dado a los ancianos sabios que, si bien no tienen grado de *payé* o *avaré*, orientan a los demás con sus consejos y conocimientos; *Guayán* es nombre propio.

3. Variedad de jabalí sudamericano, de tamaño pequeño, pero sumamente agresivo, llamado también "pecarí de collar". Su nombre científico es *Tayassu pecari*.

4. Llamado en otras zonas de Argentina "lagarto overo", o "iguana", su nombre científico es *Tupinambis texiguii* o *T. Rufescens*, y se lo encuentra en todo el terrirorio del país. En el litoral, donde alcanza tamaños realmente grandes (hasta 1,80 m de largo), se lo considera un símbolo de hombría, por lo que cada joven, antes de ser considerado guerrero, debe cazar uno, desarmado, y hacer con su cola un bastón, cuyo largo determina su grado de virilidad.

5. *Teyú-yaguá*: literalmente, "lagarto-tigre"; animal mitológico, con cuerpo de lagarto y cabeza de yaguareté, y a veces con aspecto de dragón alado, cuya ira sólo se calma con el sacrificio de un guerrero enemigo vencido en combate. Su poder destructivo es incontrolable, y se dice que atrae a los hombres con su aliento, para devorarlos.

6. Fonética guaraní del término *yacaré*, que significa "el que anda por la superficie del agua", y se traduce como "eximio nadador".

7. *Payé*: véase nota 4 de "La leyenda del *Y-berá*". *Avaé*: "de la gente".

8. *Ajú-viraró*: lit., "altar de viraró"; especie de mesa hecha con un tronco abatido de ese árbol, tallada en forma plana en su parte superior, donde se sacrifican las víctimas consagradas a *Kuarajhí*.

9. Variedad de lapacho (*Tabebuia ipé*), conocido como "colorado", por su tono cobrizo, muy buscado en ebanistería.

10. *Tipoy* = túnica; *ñandutí* = tejido sutil, inspirado en la tela de una araña de ese nombre, característico de los guaraníes de la cuenca del Alto Paraná y el Iguazú.

11. *Mbocayá*: fruto de la palmera conocida científicamente como *Syagrus pitay*, similar al coco amazónico común, que los *carios* y otras parcialidades *guaraníes* utilizaban frecuentemente como vasos y recipientes para transporte de líquidos.

12. *Guaina*: mujer joven.

13. *Ajhóyá*: especie de talismán confeccionado con dos valvas de almeja de río (*Cystopleura lanceolata*), entre las cuales se coloca una corola de *mboy-potí*, especie de orquídea blanca, considerada símbolo de la virginidad entre los carios.

14. *Ei-chú*: literalmente, "siete cabrillas", acompañantes del Dios Sol, *Kuarajhí*, en su camino por el firmamento.

15. *Ita-kuá*: caverna, cueva.

## El nacimiento de *kaá–guasú*: la yerba mate

1. *Timbó*: bot., *Tabibú ipé*; llamado también "lapacho negro", es un árbol de gran fortaleza y longevidad, de madera muy buscada en ebanistería.

2. *Caí–carayá* o "mono aullador"; es el cuadrumano más grande de Sudamérica y su denominación científica es *Alouatta caraya*. Su nombre común proviene de la costumbre de los machos, de color negro, de gritar por las tardes, durante la época de cortejo. Las hembras son algo menores en tamaño y de color marrón rojizo.

3. *Araracá*: guacamayo sudamericano de variados y vistosos colores. Los más comunes tienen el cuerpo verde con las alas y el lomo rojo bermellón, mientras que la variedad amarilla, con el lomo y las alas azul cobalto tienen connotaciones sagradas en los ritos guaraníes. Acostumbran a imitar todo tipo de sonidos, hecho que ha dado lugar a la creencia de que "hablan".

4. *Mbytú*: los colonizadores los bautizaron, por cierta similitud con los faisanes europeos, "urogallos", "faisanes" o "falsos faisanes", aunque en realidad es una gallinácea del grupo de las perdices y martinetas.

5. *Mbae-í-humbí*: literalmente, "pequeño" (*í*) "ser" (*mbaé*) "tornasolado", o "negro-azulado" (*humbí*). Picaflor amazónico de tamaño relativamente grande.

6. *Mburucuyá*: su nombre botánico es *Passiflora caerulea*, y su nombre común, "pasionaria" proviene de que San Francisco Solano creyó ver en sus estambres y pistilos las espinas de la corona de Cristo, los clavos y los mazos utilizados en su crucifixión.

7. *Quillembay*: de nombre botánico *Chuquiraga Avellanedae*, es un arbusto leñoso, de flores amarillas y blancas, que alcanza alturas de hasta 1 m, y cubre amplios espacios de terreno, donde impide la proliferación de otras hierbas con la espesura de sus hojas.

8. *Cypoyai:* tribu guaraní radicada principalmente en la región de Misiones, este de Formosa y sudeste de Paraguay.

9. *Maloka*: casa comunitaria de los carios.

10. *Tavá*: véase nota 12 de "La pequeña *Kauré-í*".

11. Nombre común de un insecto del género de los coleópteros, muy frecuente en las regiones subtropicales de América del Sur, cuyo macho presenta la particularidad de poseer una excrecencia en forma de cuerno en su cabeza, de donde proviene su nombre. La expresión "inquieto como sapo que se ha comido un torito" surge de la dificultad del sapo para deglutirlos

## El *pombero*

1. *Cocuyo*: luciérnaga, insecto coleóptero del género *Cicinidae*, que tiene la particularidad de emitir luz en forma intermitente, mediante un proceso químico realizado en el abdomen. Se lo conoce también como "tucotuco" o "bichos de luz".

2. *Ei-re-té*: vocablo guaraní que significa, literalmente "miel verdadera", pero que se aplica también a varias especies de abejas y avispas silvestres, como camoatíes, avispones, lechiguanas o avispas alfareras, abejorros, etcétera.

# REGION CUYANA o ANDINA CENTRAL

# Tribus que poblaron la región cuyana

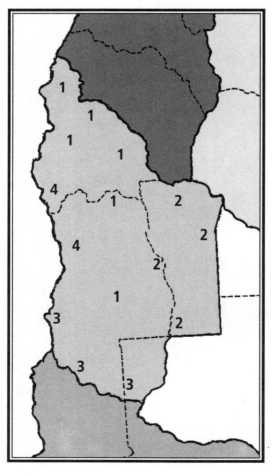

1 Huarpes-Milcayac
2 Huarpes-Allentiac
3 Pehuenches primitivos
4 Chiquillames

# LA QUEBRADA DEL ZONDA

*En comparación con otras regiones, no son muchas las leyendas tradicionales que han surgido de la zona cuyana, hecho que, según María Gatica de Montiveros, puede deberse a dos factores fundamentales: la temprana desaparición de sus habitantes aborígenes, como es el caso de los huarpes y los pehuenche primitivos, de los cuales se tienen muy pocos datos, y la invasión inka desde el norte, que asimiló y sojuzgó a varias culturas nativas de nuestro país, haciendo desaparecer parte de su patrimonio.*

*A estas dos razones, que considero válidas, me permito, sin embargo, agregar una tercera: la poca difusión que las leyendas y mitos regionales han tenido en algunas zonas de nuestro país, entre las cuales incluyo a la Región Cuyana, en la cual, personalmente, pude comprobar que, a pesar de que no faltan narradores y cultores de lo tradicional, muy pocos de ellos han sido contactados por recopiladores o autores interesados en las leyendas autóctonas.*

*En el caso puntual de este "sucedido", quiero manifestar con retroactividad mi agradecimiento a Doña María de la Anunciación Torres quien, a pesar de sus 92 años, conservaba una excelente claridad mental, y defendía a capa y espada sus tradiciones cuyanas.*

–Esa piedra que ustedes vieron –comentó doña María ante una pregunta nuestra sobre una roca de forma extraña que habíamos visto en el camino– tiene una historia muy triste, que tiene que ver con el viento Zonda, y que dio el nombre a la quebrada. –Presintiendo la narración, empuñamos nuestra última empanada y nos dispusimos a escuchar.

–Diz'que una vez, hace ya muchos años –comenzó doña María–, había una mujer muy pobre, que tenía un solo hijo, y que vivía de lo que le daba la venta'el *cocho*,[1] que ella misma preparaba y vendía en el mercao del Niquivil Viejo.

"Todas las tardes se sentaba, dale que te dale al mortero,

moliendo las flores del maíz tostao, y todas las noches el hijo le robaba el *cocho* pa comérselo. Y lo que no se comía lo tiraba, pa que la madre no se diera cuenta. La pobre mujer lo reprendía, pero el chango no entendía que aquella harina que él comía por gula era lo único que su madre tenía pa conseguir el bastimento[2] 'e la casa, cambiándola por azúcar, yerba o harina, ya que'ra tan pobre que tenía que conformarse con eso nomás.

"Pero el *chango*, en vez de entenderlo, cada vez se portaba pior —continuó doña María, después de rescatar unos tamales de la olla y colocarlos a secar sobre un paño blanco—, hasta que una mañana, justo antes de salir pa'l mercao, el hijo le robó parte del *cocho*, con tanta mala suerte que derramó todo el resto por el piso'e tierra'el rancho.

"Aquello jue la gota que colmó el vaso; cansada'e las travesuras de aquel demonio, y al ver que ya no le quedaba nada pa cambalachear[3] en el mercao, doña Glauca, que así se llamaba la madre, se salió de las casillas y, sin pensarlo mucho, lo maldijo fiero al muchacho:

—¡Amalhaya, chango'e porra! ¡Siquiera viniera Mandinga y te llevara lejos, a'nde ya no te viera más, pa que me dejaras trabajar y ganarme la vida tranquila!

"Y no había terminao de decirlo, mire, que ¿no va y se levanta un ventarrón juerte, caliente como un resuello'el infierno, y lo levanta al muchacho por los aires, llevándoselo p'al lao del cerro?

"Al ver aquello la madre, arrepentida de lo que había dicho sólo pa asustar al chango, pero sin pensar que podía pasar semejante cosa, salió corriendo atrás del viento que se lo llevaba, gritándole que lo dejara, pero al ratito nomás lo había perdido'e vista. Siguió corriendo p'al lao de los montes, pero dispués de haber andao buscando un rato largo, y de rogarle a Dios que le devolviera al muchacho, muerto o vivo, vio que en la Quebrada'el Zonda[4] estaba el cuerpo de su hijo, pegao nomás a la paré del monte, mientras que poco a poco s'iba transformando en piedra.

"Y dicen los que saben que ese día en que apareció en la quebrada esa roca en forma'e chango, jue el momento mismo en que nació el Zonda; y también dicen que todas las tardes, a la misma hora en que la madre lo maldijo al hijo malo, empieza a zondear. Y la verdá es que, si uno se fija bien —concluyó doña María—, parece que el viento saliera de la piedra misma, como si juera el último grito del hijo llamando a su madre".

# El bautismo del Puente del Inca

*La mayoría de nuestros lectores habrán oído hablar del Puente del Inca, una de las maravillas naturales y turísticas de la que se enorgullece la provincia cuyana de Mendoza, el cual quizás muchos hayan visitado. No obstante, son contados los visitantes que regresan de allí conociendo la forma en que las leyendas tradicionales narran el descubrimiento y bautismo del Puente del Inca. Esto corrobora en parte la afirmación de María Gatica de Montiveros, acerca de que muchas de las leyendas cuyanas han sido integradas al patrimonio inka, a pesar de haber tenido lugar en territorio cuyano y formar parte, en cierta forma, del entorno de la región.*

–¡Anchakjay![1]... ¡Anchakjay!... –la queja lacerante del joven Hijo del Sol, imagen misma del propio *Inti*,[2] conmovía profundamente a todos los habitantes del *Tahuantinsuyu*,[3] desde el imperial templo de *Koricancha* hasta el último villorrio del imperio, ubicado a muchas lunas de camino hacia el sur, en el distrito de *Kollasuyu*. El joven Sol se iba apagando lentamente, presa de una dolorosa y prolongada enfermedad que ninguno de los *amautas*[4] ni los experimentados *kallahuaya*,[5] llamados expresamente, lograban librarlo de sus padecimientos.

–¿*Imanán*?[6] ¿*Imanán*? –preguntaba la gente a los chasques,[7] ansiosos de noticias sobre el estado del príncipe.

Desde hacía ya muchas lunas que el joven se hallaba afectado por aquella enfermedad, que lo atormentaba constantemente, como si un millón de alfileres se clavaran en su carne al menor movimiento. Sus articulaciones crujían dolorosamente, al doblar un brazo o flexionar una rodilla.

–¡Frotemos su cuerpo con "pomada de *choique*"![8] –recomendaba uno de los amautas–. La yerba de la víbora[9] lo aliviará, seguramente– sugería otro, ansioso de mostrar sus conocimientos–. ¡Depuremos su sangre con té de coca! –sugería un tercero, corriendo a prepararlo y hacérselo beber al enfermo, y esperando en vano un resultado positivo.

Finalmente, una *ñusta*[10] relató a los sacerdotes un sueño que había tenido, en el cual había visto un lugar lejano, muy, muy al sur del *Kollasuyu*, en territorio *huarpe*, donde corría un río mágico que curaba las enfermedades de los huesos, devolviendo la flexibilidad de los brazos y las piernas y la fuerza de los músculos de quienes se sumergían en él.

–¡Vayamos hacia el sur entonces! –exclamaron los sacerdotes, y aprestando de inmediato una caravana, en la cual se destacaba un palanquín lujosamente decorado, cargado por cuatro servidores, que transportaba al doliente príncipe.

–¡*Anchakjay*!... ¡*Anchakjay*!... –se quejaba el enfermo, mientras el cortejo se arrastraba por la helada Puna, cruzando profundos *waiku*,[11] trepando y descendiendo un *orkko*[12] tras otro y atravesando selvas y ríos, en su interminable camino hacia el sur.

Días y días duró la penosa peregrinación; muchos de los hombres perecieron, pero una esperanza sostenía a los sobrevivientes: la ilusión de que el joven *Inti*, al que todos adoraban, recobrase la perdida salud.

–¡*Callapakjáuay, apullay*...![13] –imploraba al Sol el enfermo, pero su padre Anti no parecía escucharlo.

–¡*Kollá, achalay kollá*...![14] –instaban los sacerdotes y los guías, hasta que, al fin, un día, los baqueanos de la zona exclamaron:

–¡*Cay... kau cay*...![15] –asegurando que se encontraban muy próximos al río que devolvería la salud al joven Inca. El mermado séquito había llegado a territorio *huarpe*, que se conocería mucho más tarde, bajo el dominio hispano, como Calingasta, en tierras mendocinas, en la región de Cuyo.

Algunos días más tarde, los integrantes de la comitiva escucharon el ansiado mensaje: "¡*Akjuy pachaunay*...!"[16] –y todos se arrodillaron, agradeciendo al padre Sol el término de su viaje.

Pero aún los esperaban nuevos obstáculos: la única pendiente a la vista que permitía descender hacia el cauce del río soñado por la ñusta –el lecho seco de un antiguo arroyo– se encontraba al otro lado de un abismo insalvable, sin que se pudiera divisar ningún paso que permitiera llegar al otro lado.

–¡*Anchakjay*...! ¡*Anchakjay*...! –seguía quejándose el joven Inca, cada vez más débilmente; de pronto, al doblar un recodo del precipicio, algo apareció a la vista de la vanguardia del séquito: cruzando el imponente abismo se erguía un soberbio puente natural, que la corriente del río había excavado a lo largo de milenios, hasta horadar un paso en la roca sedimentaria. Un enorme arco de casi 50 m de largo se extendía de una orilla a otra, por debajo del cual corrían, a más de 20 m de profundidad, las espumosas aguas del torrente (hoy río Las Cuevas), sobre las cuales colgaban hermosas estalactitas ferruginosas, que daban al paisaje el aspecto irreal de una gruta encantada.

–¡*Cuán*...! ¡*Cuán pachá*![17] –urgían los sacerdotes a los porteadores; era necesario bañar cuanto antes al joven en las aguas curativas, en las cuales se cifraban todas las esperanzas de los *kallahuaya* y los sacerdotes. Y así, entre gemidos y quejidos por parte del príncipe, y expresiones de alivio y esperanza de la comitiva, el joven Inca fue sumergido en andas en las aguas maravillosas.

Y el alivio llegó, preludio de la curación definitiva; libre de sus dolores, el muchacho dejó el palanquín, y saltó, corrió y retozó alegremente por la ribera rocosa del río. Más tarde, no contento con esto, trepó ágilmente por la escarpada ladera de la quebrada y cruzó triunfalmente el puente de piedra que, desde ese momento y para siempre, quedó bautizado con el nombre de **Puente del Inca**.

Y cuentan que aquélla fue la primera vez en que las milagrosas aguas del río Las Cuevas reciben la visita de un doliente; pero no la última, pues aún hoy, y en cantidades cada vez más numerosas, muchos enfermos acuden a sus márgenes en busca de la salud perdida.

## EL QUIRQUINCHO

*De todas las variedades de armadillos que existen en nuestro país, el quirquincho (Chaetopractus villosus, conocido también como "peludo", por presentar unas largas cerdas en la parte superior y posterior del caparazón) es, junto con la mulita, el más conocido de los representantes de la familia Dasipodidae de la Argentina.*

*Dada la popularidad de este personaje, no es de extrañar que el mito de su origen sea conocido en casi todo el territorio de nuestro país, por lo que la única y arbitraria razón por la que he decidido incluirla en la Región Cuyana es que mi primer contacto con su leyenda se produjo, precisamente, en un puesto de una estancia situada en la zona de Cerro Potranca al sur de la provincia de San Juan, casi en el límite con Mendoza. Allí tuve la suerte de escucharla a través del relato de un extraordinario narrador, rústico pero extremadamente ingenioso y descriptivo: don Hermindo Sanabria, puestero de la estancia y nativo de esos pagos, con el que tuve oportunidad de conversar largo y tendido durante algunos días en que paré en su puesto a orillas del Río de los Pozos.*

–Pa entender bien la historia, debe saber que'l quirquincho también supo ser hombre, antes de ser animal, y que por esos entonces era de profesión tejedor, cosa rara en un hombre, ya que sabe ser un trabajo'e mujer –comenzó a relatar el paisano, mientras "ensillaba" el consabido amargo con que tradicionalmente se daba por terminada la jornada.

–Es más, le digo; como tejedor tenía unas manos de oro p'al telar. Pero eso sí: todo lo que tenía de habilidoso lo tenía también de haragán; ¡una luz pa escurrirle el bulto[1] al trabajo, vea!...; solamente se sentaba al telar cuando necesitaba unos pesos pa los vicios o pa comprarse unos churrascos o algunas pilchas, ya que ponchos y mantas no le faltaban...

"Pero una vez que se acercó hasta el pueblo pa entregar unos encargos atrasaos, durante la parada obligada en el boliche se encontró con su compadre Antenor, que lo anotició de un baile que s'iba a'cer en la parroquia pa la fiesta'e San Pedro. No es que el Valentín –que así se llamaba el susodicho– fuera hombre de bailar dimasiao, pero ayí donde se podía garroniar[2] un vino y mover un poco las tabas,[3] ayí se lo encontraba al paisano, firme como palo'e tranquera.

"Contento con la noticia, Valentín enderezó pa su rancho, pero en el camino se dio cuenta'e que, si quería ir bien vestido al baile, tenía que empezar a tejerse un poncho, ya que el que tenía estaba medio raído y no condecía con su fama'e tejedor. Así que, no bien llegó a la casa, preparó la urdimbre en su telar de palo y comenzó a tejer con su maestría acostumbrada.

"La tela salía como una seda, mire –continuó don Herminio, después de arrimar a la mesa un par de galletas de campo y unos trozos de salame y queso de oveja–; parejita y tupida, pero flexible que era un primor. El mismo Valentín la miraba con orgullo, porque ya se maliciaba[4] que iba a ser su mejor trabajo.

"Al principio, todo marchaba como una seda, pero a los pocos días de haber comenzao a tejer el poncho, se dio cuenta'e que no iba a'cer a tiempo a terminarlo, y comenzó a tramar los hilos más gruesos y menos retorcidos, pa'cer más rápido y poder tenerlo listo a tiempo. Y parecía que iba a terminarlo nomás, pero nunca falta un roto pa un descosido[5] –sentenció el puestero, para luego continuar–: ¿quiere cre'rme que cuando el poncho ya estaba bastante avanzao –aunque con una trama medio floja y desprolija– le cae de sopetón el Antenor, a avisarle que'l baile se había suspendido?".

–Aquello debe de haberle caído como un balde de agua fría –comenté, esperando la continuación de la historia.

–Bueno, el Valentín nunca fue hombre de preocuparse mucho por nada, y por otro lao, ya estaban por llegar los fríos y lo mesmo iba a necesitar el poncho, así que se lo tomó con filosofía y comenzó de nuevo a tejer como Dios manda, usando hilos bien retorcidos y tramando apretadito y parejo como había hecho al principio. Así que el poncho quedó bien prolijito al principio y al final, pero burdo y desparejo en el medio, ya que el muy haragán no quiso destejerlo pa arreglar la parte que había hecho a los apurones.

–Debe de haberle quedado hecho un mamarracho –insinué.

–De cualquier manera, no tuvo tiempo pa disfrutarlo –fue la sorpresiva respuesta–, porque a la noche siguiente de haberlo terminao, el caballo del Valentín se asustó por un quirquincho que le salió al paso, y el pobre terminó desnucao contra una piedra, al costao del camino, tapao con el poncho recién terminao.

–Así que no le sirvió de nada.

–Pior que'so –resumió el puestero, dando por terminada la charla–; cuando el Valentín murió, Dios decidió castigarlo por su haraganería y su falta'e prolijidá y lo convirtió en quirquincho, pero con tan mala suerte pa'l pobre, que llevaba puesto su poncho nuevo y al endurecérsele sobre'l lomo, en forma'e caparacho, le quedó como aura lo vemos: con placas parejitas y prolijas en la cabeza y la cola, y grandes y desordenadas en el lomo –concluyó irónicamente don Herminio.

## LA IGUANA

*Si bien el saurio que la gente de campo llama usualmente* iguana[1] *fue y es ampliamente conocido en todo el territorio argentino, los indios* huarpes, *especialmente los de las tribus* milcayac, *le deparaban al* kjalchak, *como lo denominaban en su lengua, una atención muy especial, ya que, dentro de su cosmogonía, estaba considerado como la deidad protectora de las tejedoras y las alfareras.*

*En muchos de los asentamientos de estas tribus, la mayoría de ellos descubiertos en una amplia zona en el límite entre San Juan y Mendoza, se han encontrado gran cantidad de piezas de cerámica y tallas en madera, ornamentadas con imágenes de este animal, cuya leyenda constituye una clara demostración de cómo el poder*

*de observación de la naturaleza puede transformarse en un mito con connotaciones de parábola.*

*La versión que sigue me fue contada en el pueblo mendocino de Jocolí, cerca de los esteros de Tulumaya, por una maestra rural de nombre Asunta Paredes, nativa del lugar y enamorada de las tradiciones indígenas, quien me comentó que solía contar esas leyendas a los niños de sus clases, como parte de su educación.*

Parece ser que hace mucho tiempo, cuando los animales eran personas, existía en la tribu *Paruk*, de la parcialidad *milcayac*, una niña muy bonita, hija y nieta de jefes, lo que le había dado un carácter orgulloso y haragán, pero eso sí: con un par de manos hermosas y hábiles, expertas en el arte de tejer, coser y hacer alfarería, que eran los trabajos destinados para las mujeres por aquellas épocas.

Pero tan despreciativa y haragana era la joven que el padre, cansado de sus desplantes y de que no ayudara para nada a su madre y sus hermanas, ocupándose solamente de tejer y coser ropas para sí misma, un día la echó de su casa sin más vestimenta que la que tenía puesta.

Y así la niña mimada pasó, de repente, a ser una mujer pobre, que vivía en una humilde choza, dormía en un catre desvencijado y sólo tenía para abrigarse un vestido medio deshilachado y una manta raída que una vecina caritativa le había regalado.

Pero ni aquella situación extrema hizo que su carácter se mejorara, y siguió siendo despreciativa y holgazana, a tal punto que, en poco tiempo, el vestido se le convirtió en un montón de harapos y de la manta sólo quedaban unos pocos jirones deshilachados.

Por las noches, tiritando de frío, se aseguraba a sí misma:

–Mañana sin falta voy a coser mi vestido y voy a empezar a tejerme una manta nueva. Pero al levantarse al día siguiente –nunca antes del mediodía, cuando el calor empezaba a hacerse sentir– se sentaba a la puerta de la choza, estirándose al solcito de la siesta, y se olvidaba de lo que había prometido la noche anterior.

Hasta que, finalmente, del vestido no quedó ni el recuerdo y la frazada se destrozó por completo; entonces la mujer, avergonzada por su desnudez y sin manta para abrigarse de las heladas del invierno, no tuvo más remedio que irse a dormir a las cuevas de los animales, a la puerta de una de las cuales apareció una madrugada, muerta de frío y cubierta por la escarcha de la noche anterior.

Pero el Tata Dios no quiso que su mal ejemplo y su haraganería pasaran desapercibidos, así que la convirtió en iguana, ese animal tan feo, que sólo sale de su cueva durante el verano y se tiende al sol para calentarse, igualito a como lo hacía cuando era persona...

Claro, que como en su vida humana había tenido esa virtud de hacer labores tan preciosas con sus dedos, Diosito le permitió conservar las manos como si fueran de cristiano, y dicen que cuando murió, sus padres, arrepentidos, la enterraron con todos sus anillos y pulseras, que hoy la *iguana* lleva en esa cola tan larga que tiene.

## LAS FLORES DEL *COLLIGUAY*

*Esta leyenda fue recogida por el Dr. Esteban Gallino, antropólogo aficionado, durante una expedición arqueológica a la localidad de Mechanquil, en las proximidades del arroyo Poñihue, en la provincia de Mendoza. Según sus propias palabras, le fue narrada, aunque no de muy buena gana, por doña Marcelina Körjhollen, una anciana india de ascendencia* puelche *de más de 100 años de edad. La presente versión ha sido transcripta, siempre según su recopilador, tal como fue narrada, con sólo los necesarios retoques para su mejor comprensión*

Antes de que los pieles claras atravesaran el gran lago para atacar a los *reche*,[1] el *colliguay*[2] tenía solamente flores blancas, hasta que ocurrió lo que le voy a contar –comenzó doña Marcelina, en un español bastante pasable para quien hablaba corrientemente un extraño dialecto *puelche*.

Cuando los *huinca* (individuo no mapuche) llegaron a la *Atük* (tierra *puelche*), el mismo El-lal –Señor del Cielo, la Tierra y los Hombres– mandó a su propio hijo para que los vigilara y los pusiera a prueba, y también para que protegiera a sus *reche* de la maldad de los invasores. Pero tan pronto llegó al bosque de *collinamüll*, que ahora los huincas llaman *arrayán*, el hijo del dios fue sorprendido por una enorme *calcú-filú* (víbora negra) que se apareció a su lado; por aquellos tiempos, las *filú* caminaban paradas, como los *pastray* (hombres), porque su creador, *Huecuvü*, el Amo de los Demonios, las hizo parecidas a ellos.

Pero como se le apareció de repente, sin un ruido, como suelen hacerlo las *filú*, el hijo de El-lal se asustó muchísimo, tanto que se enfureció, y tomando una rama de colliguay, cubierta de flores y espinas, comenzó a castigar a *filú*, diciéndole:

–¡Toma, toma y toma; así aprenderás a no asustarme!

Y tanto la castigó, que las espinas rasgaron la piel de la víbora y las flores se mancharon de rojo con la sangre y de amarillo con el veneno; y luego de azotarla, le pisó la cabeza con el talón calzado con el *tsumel*,[3] hasta que le dejó la cabeza chata y con la forma que ahora tiene. Al mismo tiempo le rompió el espinazo, con lo que condenó a *filú* a arrastrarse para siempre, ya que lo único que puede hacer para mostrar su odio es levantar la cabeza y enseñar su lengua partida por el pisotón y su piel cuarteada por las espinas. Desde entonces, todas las víboras odian a los caballos y tratan de morderlos en los garrones, que es de donde se saca el cuero para las *tsumel*.

Y así, según dicen –concluyó doña Marcelina–, desde ese momento el colliguay tiene algunas flores rojas, otras amarillas y muchas manchadas de los dos, y sus *kellén-kelun*[4] sueltan un líquido que irrita los ojos y quema la piel como el fuego. Pero si se tiene cuidado, también son buenas para teñir las *matras*[5] y los *quillangos*;[6] por eso la *filú* suele enroscarse debajo del colliguay, para picar a las gentes que buscan las *kellén*, para así vengarse del hombre.

## EL *LLAJTAY* CUYANO

*Entre las estribaciones preandinas de la provincia de San Juan circula una versión extraña del* Llajtay, *en la cual éste personifica al diablo y suele conquistar a las jóvenes hermosas pulsando una guitarra "afinada a la izquierda", es decir, con la afinación inversa, de arriba hacia abajo, requerida para una persona zurda. Esta "rilación" fue recogida en la estancia "Punta del Agua", en la zona de la Sierra del Valle Fértil, que orilla por el este el Valle del Río Bermejo, contada por un anciano pastor de cabras cuyo nombre, desafortunadamente, se ha perdido.*

–Esta rilación que v'ua contarles sucedió realmente, muy cerquita'el caserío que llamaban Baldecitos, en el paraje'e Los Rincones, allá por los pagos de los Altos de Ischihualasto –comenzó el anciano su narración, haciendo que todos los concurrentes guardaran un interesado silencio.

"Todo empezó en un puesto'e cabras, donde vivía una hermosa joven, dejada allí años atrás por unos arrieros que la habían encontrao perdida en el monte; la gente'el puesto que la había recogido se fue muriendo de uno en uno, como suele suceder con los viejos –sentenció el narrador–, y al llegar a la flor de la edad, la joven se encontró sola, con la única compañía de una anciana *huarpe* que la adoraba.

"Cuando creció era tan bella, mire –dijo el anciano, sin dirigirse a nadie en particular–, que llegaban mozos de leguas a la redonda a'cerle la corte, pero a ella no le interesaban los hombres, y los pritendientes debían volver las ancas de vacío, sin conseguir ni una mirada de la moza.

"Hasta que un día en que la joven regresaba de pastoriar su majada, vio un cardón que se sacudía como si estuviera engualichao, pero al fijarse mejor, vio que lo que había tomao por un cardón era un mozo de güen ver, que la esperaba a su vuelta'el cerro".

–Aquí el paisano hizo un alto para aceptar una ginebra arrimada por una mano anónima, y luego continuó su relato:

–De allí en más, no hubo tarde en que, al volver de recoger la majada, el joven no la esperara en el camino, pa'compañarla de vuelta al rancho o pa'iudarla con los baldes del agua pa las cabritas. Pero no pasó mucho tiempo sin que el mozo, del que naides sabía quién era ni de dónde había venido, empezó a requerirla de amores, que la niña no terminaba de acetar ni rechazar.

"Así pasaron varias semanas hasta que el jorastero, cansao'e las negativas, resolvió tomar el toro por las astas, y una noche le dio una serenata con una guitarra afinada a l'izquierda que, asigún dicen los entendidos, es uno de los piores *gualichos*[1] que sabe aplicar Satanás en asuntos de amores.

"Hasta que una tarde, conquistada por la música'e la guitarra afinada a la izquierda, la moza dejó el puesto pa irse con su extraño y envidiado pretendiente...

"Jue cosa de no cre'r, vea... –dijo el anciano, sin dirigirse a nadie en particular–. Pero bastó que la niña se juera con el forastero, pa que los perros empezaran a'ullar como poseídos; las cabras saltaron las cercas y juyeron por el monte, y en las cumbres del Colorao se levantó un remolino rojo como de sangre, que vino acompañao de un ruidaje estraño, como una carcajada... como si la Salamanca entera festejara que Mandinga había cobrao una nueva víctima.

"Al amanecer del día siguiente, unos mineros encontraron a la joven muerta en el Cañón del Huaco, hermosa como siempre, pero con la piel rígida y estirada, como si la hubieran embalsamao. El Llajtay le había robao el alma.

"Y cuenta la leyenda que, desde entonces, cuando alguien termina de pulsar una guitarra 'afinada a l'izquierda', tiene que volver a desafinarla al terminar, porque, de lo contrario, de noche las cuerdas empezarán a tocar solas. Y también dicen que es el alma'e la joven puestera, que regresa pa pedir, con la música, que el Llajtay le devuelva el alma que le robó con malas artes".

Como puede verse, el Llajtay sanjuanino (o, al menos, el de esta versión) es un personaje muy diferente del de la leyenda recogida en Tucumán por Vidal de Battini.

**Notas**

**La quebrada del Zonda**

1. *Cocho*: harina de maíz tostado que se utiliza en distintos tipos de masa. Se obtiene tostando el maíz sobre un brasero y luego moliéndolo en un mortero de piedra.

2. *Bastimento*: término poco usual, sinónimo de aprovisionamiento o manutención.

3. *Cambalachear*: canjear, negociar; se utiliza como una forma de trueque, en reemplazo del dinero.

4. *Zonda*: viento muy cálido y en ocasiones muy fuerte, del que se dice que tiene la particularidad de exacerbar el ánimo de las personas, tornándolas irascibles y violentas.

**El bautismo del Puente del Inca**

1. Interjección sin traducción directa, utilizada como expresión de dolor o sufrimiento.

2. Si bien el nombre completo de la deidad máxima de los *inkas*, el Sol es *Inti-Anti*, se utiliza sólo el primer vocablo cuando se refiere a personas o cosas en su juventud, de corta edad o duración, o que se relacionan con el este, mientras que *Anti* alude a sujetos relacionados con el oeste, antiguos o de larga data.

3. Literalmente, "los cuatro rumbos": nombre del imperio *Inka* en su totalidad, que incluía cuatro distritos: el del sur, o *Kollasuyo*; el oeste o *Antisuyo*, el este o *Intisuyo* y el norte o *Chinchasuyo*.

4. Denominación dada a los hombres sabios e instruidos del imperio *inka*.

5. Tribu mítica de la tradición *inka*, cuyos representantes eran sanadores, augures y guías espirituales. Se conservan muy pocos registros de esta raza, aunque se dice que habitaban una región secreta (según algunas versiones, "fuera de este mundo"), y que acudían en auxilio de los hombres cuando éstos los necesitaban.

6. *¿Imanán?*: en su forma interrogativa significa "¿qué pasa?" "¿qué sucede?".

7. *Chasques*: especie de mensajeros que recorrían el imperio a pie, llevando anuncios, mensajes y órdenes reales, por un sistema de postas o relevos.

8. Pomada de *choique*: véase nota 3 de "El espantoso monstruo de la laguna".

9. Llamada también *canchalagua* o *matapulgas (Erytra chilensis);* hierba con la cual se prepara una infusión indicada por la medicina popular andina como calmante para los dolores reumáticos (véase *Plantas que curan*, de esta misma editorial).

10. Nombre genérico y familiar para las princesas de sangre real, especialmente hijas de rey y reina. Por extensión, las vestales que custodiaban y atendían el Templo del Sol, en la fortaleza de Machu Picchu.

11. *Waiku*: quebradas, hondonadas, especialmente las provocadas por los aludes o deslaves de tierra y barro, frecuentes en las laderas andinas.

12. *Orkko*: cerro, montaña.

13. Literalmente: "*¡Padre mío, dame fuerzas!*".

14. Literalmente: "*¡Hacia el sur... siempre hacia el sur!*".

15. "*¡Estamos cerca, muy cerca...!*"

16. "*¡Ahora... ahora mismo!*"

17. "*¡Cuan... cuan pachá!*": ¡Bájenlo... bájenlo ya mismo!

## El quirquincho

1. *Escurrir el bulto*: localismo por evitar, evadir.

2. *Garronear*: obtener gratuitamente, pedir.

3. *Mover las tabas*: bailar.

4. *Maliciar*: localismo por intuir, pensar, darse cuenta.

5. *Nunca falta un roto para un descosido*: nunca falta un imprevisto.

## La iguana

1. *Iguana*: nombre que se le da en el campo argentino a una variedad de lagartos conocida científicamente como *Tupinambis texiguin* o *T. rufescens*, cuyos especímenes alcanzan hasta 1,80 m de longitud, de color negro en el primer caso, y rojo oscuro en el segundo, ambos moteados de blanco amarillento y con la cola con anillos del mismo color.

## Las flores del *colliguay*

1. *Reche*: de *re* = "puro", "sin mezcla" y *che* = "gente"; se interpreta como "auténtica gente de la tierra".

2. *Colliguay*: arbusto espinoso (*Chacaya trinerius*) que presenta la particularidad de tener flores rojas, amarillas o de ambos colores combinados en un mismo especimen.

3. *Tsumel*: bota de potro. Calzado hecho con un trozo de cuero extraído de la porción inferior de la pata del caballo, manteniendo su forma para que cubra la pantorrilla, el talón y el empeine del jinete, dejando los dedos afuera, para estribar.

4. *Kellén-kelün*: lit., frutillas *(kellén)* color rojo-morado *(kelün)*; descripción de los frutos del colliguay cuando maduran.

5. *Matra*: véase nota 2 de "El espantoso monstruo de la laguna".

6. *Quillango*: cobertor de piel de guanaco.

## El *Llajtay* cuyano

1. *Gualicho*: fómula mágica utilizada por las entidades malignas para apoderarse de la voluntad de los humanos. Aún no se ha determinado con certeza si el término es de origen araucano, que lo pronuncian *gualichü*, o guaraní.

# REGION PAMPEANA o PAMPA HUMEDA

# Tribus que poblaron la región pampeana

1 Querandíes
2 Patagones
3 Pampa Hetts
4 Pampa primitivos
5 Ranqueles
6 Chechehetts
7 Guenneken

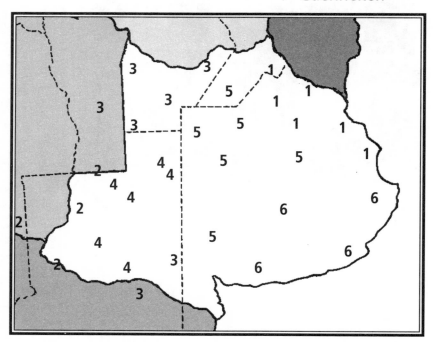

# Encuentros cercanos con los "tinguiritas"

¿Usted anda perdiendo cosas y luego las encuentra en lugares donde jamás pensó dejarlas? ¿Y ahí después las ve, como matándose de la risa? Usted, chico, va a dar la lección el día lunes (que no sabe nada) y por ahí, cuando empieza a tartamudear el título, ¿no va que suena la campana salvadora del recreo? ¿Usted ve por el campo un paisano al que se le escapa un caballo dejándolo de a pie como a un sonso?

–Esas deben de ser bromas del destino.

–Bueno, vea, doña, no achaque al destino. Son los "tinguiritas" –me explicó el Eleuterio, criollo contador de sucedidos, que me enseñó en mis mocedades la ciencia criolla y muchos cuentos sabrosos.

El Eleuterio era medio indio y el otro medio nunca se supo. El aseguraba haber nacido en Los Toldos[1] y eso ya dice mucho. Por lo pronto, su memoria prodigiosa almacenaba estibas de recuerdos de los últimos pampas aplastados por el "progreso" traído por los huincas.

–¿Y que son esos bichos? –le pregunté incrédula.

–Son como enanitos, que viven en las cuevas de la tierra, que salen de noche para hacerles bromas a los cristianos y beneficios a la naturaleza. Son los guardianes de los pichones cuando los padres salen a buscarles el alimento, los que curan a los pájaros heridos, los que salvan a los sapos de la crueldad de los chicos, en fin, sin los "tinguiritas" estaríamos sin protección y sin diversión.[2]

Entonces, al abrigo de los recuerdos y de las fantasías recuperadas de la infancia, entablé con mi pintoresco interlocutor una de esas charlas mágicas que manteníamos mientras el viejo mensual, parsimoniosamente, preparaba el asado.

–Los indios del sur me enseñaron a encontrarlos porque son

muy mezquinos de mostrar su paradero. Son como tero con la nidada. Por acá pegan los gritos y por allá ponen los huevos. Se esconden en los huecos de la tierra, de las piedras y de los árboles. A veces sólo se encuentran las pisadas. De noche salen a atender su trabajo o disfrutan de sus fiestas, que celebran durante la luna llena. De día solo se aventuran en caso de hacer justicia.

–Pero, Eleuterio, ésos son cuentos de los inmigrantes. La gente del norte de Europa tiene montones de leyendas con esos seres, producto de la imaginación. Son los gnomos, están en todos los libros de cuentos para leérselos a los nietos.

–¿Imaginación? ¿Ñomos? ¿Cosas de los libros? ¡Qué esperanza! Los tinguiritas andan por las noches de la gente del sur. Todos los indios los han visto y muchos han soportado sus bromas y sentido sus risitas. Porque después que a usted le dan un chasco, siempre se escucha un ji-ji-ji. Otras veces han curado las heridas o las enfermedades a los caminantes de rutas solitarias. Las machis han tenido trato con ellos porque las proveen de yuyos para remediar toda clase de males y gualichos. Cuanto sapo, rana u otra sabandija se quiebra o se lastima, viene la tinguirita y se lo lleva a su hospital. Los hijos de la mujercita les cuidan los huevitos.

–¿Así que hay también enanitas mujeres y bebés? Eso ya es un adelanto, porque en los cuentos europeos nunca encontré gnomas ni gnomitos.

–¡Psss! –replicó amoscado–. ¿Y dónde ha visto que sólo existan enanos hombres, todos viejos? Esas, vea, son cosas de los gringos. Acá, en este país, hay tinguiritas hombres, mujeres y niños, jóvenes y viejos, gordos y flacos, como debe ser.

La lógica del Eleuterio me tenía clavada en mi sitio esperando más noticias de los gnomos folklóricos.

–¿Pero usted los ha visto en sus andanzas de tropero o de baquiano por las viejas estancias?

–Vea, de verlos, como los pudieron ver mis parientes, los indios, no. Ellos decían que andaban vestidos de colorado y verde, con gorritos puntudos como los de los mazorqueros, pero lo que sí me ha tocado presenciar sus travesuras. Fue para una cosecha de pasto, cuando los alfalfares eran un banquete para las panzas de las vacas, por aquellos tiempos en que se emparvaba.

–¿Eran muchos los que trabajaban en esa actividad, para presenciar la cosa? –quise saber, por si había otros testigos.

–A principio de siglo se levantaban grandes parvas para al-

macenar el alimento del ganado necesario en tiempos de sequía. Había quien cortaba, quien engavillaba, quien emparvaba y quien andaba en las chatas llevando todo el pasto. Mucha gente trabajando de sol a sol y cuidando que no se humedeciera el forraje. El secreto estaba en guardar la alfalfa con todas sus hojas, así se conservaba toda su energía.

"Al momento de comer, para no perder las horas de buen tiempo, venía el patrón con su americana (antiguo vehículo tirado a caballo) trayendo el asado, la galleta, el agua, una damajuanita de grapa y lo necesario para hacer fuego. Al costado del campo siempre nos esperaba la sombra de un árbol. Allí se hacía un alto en el trabajo.

"El patrón, hombre de muy mal talante, quería siempre apurar el sobrio almuerzo campestre, en que cada quien se permitía alguna broma o se contaba alguna mentira, tanto podía ser motivada por el trabajo o alguna ocurrencia divertida. El patrón, siempre apurado porque quería tener el pasto a buen seguro, se molestaba por nuestras pocas y breves diversiones. Hombre grande, de pocos pelos, su calva lucía una mecha que no contaría más de siete hebras, poblado el bigote que contrastaba lo escaso de las chapas.

"Bajaba los menesteres de la americana y ponía cerca de su dominio la damajuanita de la grapa, lejos de la otra con querosén para encender el fuego.

"Un mediodía de sol a plomo, la peonada preparó el asado, lo disfrutó entre ingenuas bromas, y al final, de a uno y en orden (como quien va a comulgar), le pudimos dar un beso a la damajuana de la grapa como era de rigor. ¡La grapa!, esa bebida que enciende la sangre y tensa los músculos que le dan manija a la horquilla.

"Pero siempre hay alguno que se desmanda. El boyero, muchacho muy macaneador, sacó el tema de la llegada de unas turistas a la estancia vecina. Las había visto bañándose en el tanque australiano y ya todos quisieron saber más sobre lo que dejaban a la vista los trajes de baño. La charla del boyero se extendió más de lo debido, se aventuraron apreciaciones intrépidas y al patrón se le hincharon las venas. Alguien volvió a manotear la grapa y eso ya el 'don' no lo toleró".

–Bueno, Eleuterio, digamos que la temperatura no era muy propicia para darle a la grapa bajo un sol radiante –aventuré conciliadora.

–Ni la temperatura ni el bolsillo. El patrón era hombre de hacer números y bué, sacó la damajuana del peligro metiéndola en la americana, junto a la del querosén, pero bien al resguardo de los tentados.

"Mientras la gente volvió a los montones de pasto a prenderse de las horquillas, él anduvo revisando el trabajo. Dele renegar con lo lento de la emparvada, siempre mirando al poniente que amenazaba tormenta, según se iban acomodando las nubes como castillos. Tanto quiso apurar la tarea, que él también empuñó la horquilla y al rato ya estaba rendido y sediento.

"Pero sentirse sediento y acordarse de la grapa fue una sola cosa, así que rumbeó a darle unos besos a la damajuana. Se echó tres buenos tragos al buche y se le abrieron grandes los ojos. Pero no dijo palabra, no era cosa de que lo hicieran pasto de las risas, sus peones.

"Para disimular se fue a escupir el querosén ingerido detrás del árbol. El boyero que siempre le servía fuego para el cigarro le ofreció sumiso: '¿No priende su puro, don?' ¿Y no va la fuerza de la costumbre y lo acepta? Prendió el puro y juntos ardieron el bigote y los pelos de la calva.

"¡Se nos incendia el trompa! –gritó el muchacho y entró a apagarlo con una bolsa. La peonada, sin modo de ocultar la jarana, se dispersó por los montones para no presenciar el siniestro. De adentro de la parva, que se alzaba como una iglesia, yo escuché clarito un ji-ji-ji. Y ahora dígame: ¿quién cambió de sitio las damajuanas? –interrogó eufórico el Eleuterio. Le salían dos chispas maliciosas por los ojos oblicuos de indio pampa–. A los tinguiritas, vea, en cuestión de hacer justicia, nadie les gana".

## EL JUICIO DEL GORRIÓN

*Conocido científicamente por el nombre* Passer domesticus, *el gorrión común, a pesar de ser el ave más conocida en todo el territorio argentino es, en ralidad, un pájaro exótico, en el sentido zoológico del término. Importado durante la presidencia de Domingo Faustino Sarmiento, su increíble adaptabilidad lo convirtió en pocos años en el más popular de los habitantes, primero de los campos y ciudades bonaerenses, y luego de todo el país.*

*La presente leyenda fue recogida por Marcelo Foucault, inte-*

*grante de la* Fundación Vida Silvestre Argentina, *en las afueras de la ciudad de General Lavalle, de labios de un peón de quinta, al que había visto colocar algunos espantapájaros durante la tarde.*

"Quizás usté no lo sepa, joven, pero ese pájaro hace más daño en los sembraos que todas las heladas tempranas juntas, vea –sentenció, refiriéndose a los gorriones que se veían revolotear a través de la ventana de la cocina–. Es glotón y come todo lo que le cae al alcance del pico. Además, es dentrador como perro faldero, y eso no le gusta a los otros pájaros: al chingolo, sin dir más lejos, lo va echando cada vez más lejo'e las casas; a las golondrinas, que saben d'irse lejos, les quita los nidos antes de que güelvan, y a los zorzales ya ni se los oye cerca'e las casas.

"Lo que no sé si sabe, don –insinuó el peón–, es que un día los pájaros pidieron a su rey, el cóndor, que celebrara una asamblea, para expulsar o aceptar definitivamente al gorrión en la comunidad. Así que empezaron a discutir: 'Esa ave importada no merece estar en nuestra comunidad' –rompió el fuego el zorzal–. '¿Onde se ha visto a un pájaro que ni siquiera sabe cantar?' '¡Eso no es nada, su señoría' –saltó una calandria–. '¡Ese bicho es de lo pior! No sólo mi ha robau el nido, sino que se ha peliau con mi marido, y li'a dejao las alas que ni volar puede, señor juez'.

"Casi todos se inclinaban por la expulsión, y el cóndor ya estaba por tomar una decisión inapelable, cuando desde el fondo del salón surgió la voz del colibrí, pidiendo que, antes de condenar al gorrión, lo escucharan a él.

–Concedido –otorgó el cóndor, muy en su papel de juez.

–Quizás algunos de ustedes no lo sepan –empezó el improvisado defensor–, pero el gorrión no siempre tuvo esas plumas opacas y marrones que ahora lleva; cuando llegó a este país, traía un plumerío lleno'e colores, tan lindo como el que yo llevo ahora, o tal vez mejor, y que, pa decirles la verdá, se lo debo a él. Resulta que Añá, el Malo, envidioso de mi belleza, había echao en la fuente en que me baño todas las mañanas un menjurje diabólico que había preparao especialmente pa'cerme perder mis colores. Pero entonces el gorrión, que se mete en todas partes y se entera'e todo, vino volando y me avisó, aunque yo, que sé lo bromista que es, no le hice caso, y me dispuse a bañarme lo mesmo.

–Esperá –me dijo entonces–; primero me vi'á meter yo, y dispués lo vas a'cer vos. –Y tomando carrera, se zambulló, nomás

en la fuente. ¡No podía cre'rlo, vea, cuando lo vide salir todo des-
colorido, con ese marrón feo que ahora tiene, y el pecho todo
tordillo, y con una mancha negra! Y ésta era la historia que quería
contarles, pa que sepan apreciar el coraje y el espíritu de sacrificio
de un pájaro con todas las letras. Y ahora ya pueden votar, nomás".

"De más está decir –aclaró el narrador, sonriendo– que todos
aplaudieron la valentía del gorrión, y votaron por unanimidá pa
que pudiera formar parte'e la comunidad de los pájaros argentinos... ¡pero eso de que me venga a comer mis semillas, ya es otro
cantar...! –concluyó entre las risas de toda la peonada".

## La piedra movediza del Tandil

*Según los estudios paleogeográficos de Florentino Ameghino, céle-
bre etnógrafo y naturalista argentino, el sistema orográfico de
Tandilia figura entre los más antiguos del mundo, junto a los de
Ventania y la isla Martín García. Entre sus picos más conocidos
figuran el Tandileofú, Las Ánimas, El Sombrerito y la Sierra
Movediza, de 500 m de altitud, llamada así porque en ella se encontraba la famosa piedra del mismo nombre, que se mantuvo en
su cima, pivotando sobre uno de sus extremos, hasta caer, luego de
incontables siglos, el 29 de febrero de 1912.*

*De la gigantesca mole que se balanceaba inexplicablemente
sobre uno de sus ápices, sólo quedó la leyenda, en este caso narrada
por Adrián Francisco Coliqueo, curiosamente, empleado bancario
en la Capital Federal, pero activo investigador y cultor de las
tradiciones de sus ancestros aborígenes.*

–Existen dos versiones sobre el origen de la Piedra Movediza
–me explicaba Adrián Coliqueo, mientras tomábamos un café en
un bar de la City porteña, un ambiente casi incongruente para el
tema que había surgido casi por casualidad–. Una de estas versiones, la más antigua, nació entre los *mapuche* llegados a las tierras
pampeanas desde sus lejanos dominios patagónicos, mientras la
otra, algo posterior, pero también muy antigua, surge luego de la
fusión de estas tribus *tehuelche septentrionales* con los *pampas
primitivos*, que dieron origen a los *ranqueles, mamulche, guenneken* y otras.

"La primera versión, más antigua, cuenta que al principio de los tiempos, *Antü*, el sol y su esposa *Küyén*, la luna, luego de crear la *pampa*,[1] la sembraron de pastos, de cardos y cortaderas, y desencadenaron lluvias para hacerlos crecer. Más tarde hicieron correr ríos para que llenaran las lagunas, y colocaron aquí y allá un ombú, un bosquecito de talas o un grupo de molles para que les sirvieran de reparo a los futuros viajeros.

"Después pusieron los animales: pumas, ciervos, choiques, perdices, martinetas y mulitas, que corrían por las llanuras, y bandurrias, espátulas, patos, *coipos*[2] y carpinchos que nadaban en las lagunas y anidaban entre los juncos. Finalmente instalaron a los hombres y las mujeres, que encontraron allí el Edén del que habían sido expulsados.

"Y así pasaron años incontables, hasta que un día los pampas advirtieron que su padre Antü ya no era el mismo; preocupados, lo vieron palidecer hasta casi apagarse, como si quisiera esconderse entre las nubes. Pero al fijarse con más detenimiento, pudieron ver que un enorme *nahuel*[3] alado lo acosaba, saltando de un lado a otro, y arrojándole descomunales zarpazos.

"Todos los pampas se alistaron para defender a quien les había dado la vida. Miles de manos volaron hacia los arcos y una nube de flechas oscureció el aire, surcando su camino hacia las alturas. Pero ni las flechas ni los ruegos de los hombres parecieron dar resultado hasta que un bravo se apartó del grupo, se acuclilló, rozando el suelo con su poncho de coipo, y permaneció allí largo tiempo, eligiendo su mejor flecha. Luego se tendió de espaldas, tensó su arco sosteniéndolo con los pies, al estilo ranquel, y disparó hacia el cielo.

"Ante la vista aliviada de su tribu, en el espacio infinito apareció una gigantesca mancha roja y el *nahuel* cayó pesadamente a tierra, con la punta de la flecha asomando entre sus omóplatos. Sin embargo, el feroz animal aún no estaba muerto, y entonces *Küyén*, la Luna, comenzó a arrojarle piedras desde el cielo. Las rocas arrojadas por la diosa se acumularon, formando la Sierra de Tandil, mientras que la última de ellas, enorme y en forma de corazón, caía sobre la punta de la flecha que asomaba del lomo del *nahuel*, y allí quedó apoyada, balanceándose a cada latido del corazón de la fiera, que aún no había perecido. Y así permaneció durante siglos, oscilando lentamente, hasta que finalmente cayó, cuando el corazón del león dejó de palpitar".

–¿Y la segunda versión? –pregunté, pensando en lo insólito

que resultaba mantener una conversación como aquélla en medio del trajín del microcentro porteño.

–Esa me la contó mi bisabuela Kellén, esposa del altivo cacique que alguna vez tuvo en jaque a las tropas del general Roca; Kellén, a su vez, la escuchó de labios de su abuela, y así sucesivamente, hasta vaya uno a saber qué generación –contestó mi interlocutor, sonriendo.

"El caso es que, los que la conocieron, cuentan que Mila-rayén[4] era hermosa como un sol, y que su belleza blanca y rubia la destacaba airosamente de sus cobrizos hermanos *chechehets*, descendientes de los antiguos habitantes de la tierra del pehuén y los grandes lagos.

"La joven poseía un corazón noble y puro, y su bondad era sólo comparable con su hermosura, pero aquellos mismos atributos fueron los que despertaron las envidias y desencadenaron las insidias: ¿de dónde habría sacado Mila-rayén sus largas trenzas doradas, sus ojos celestes y su piel clara y delicada, fina y blanca? No parecía de la tribu; ¿sería acaso una representante de aquella raza de tez blanca, procedente, según las viejas leyendas, de más allá de los mares, que algún día invadiría la *mapu*, portadora de los males y las enfermedades más atroces, que diezmarían arteramente a los indios?

"Las mujeres cuchicheaban en corros cada vez más grandes; murmuraban y gesticulaban, y sus rostros crispados lograron influir sobre el Gran Consejo, que determinó que Mila-rayén debía ser inmolada. La hermosa joven aceptó con inocencia la dura sentencia de los Ancianos, creyendo que su sacrificio ayudaría a su tribu, y entre gritos y cánticos fue llevada en andas hasta la cima más alta de la serranía.

"El Gran Sacerdote no vaciló un instante, y tras un aterrador grito de agonía, el corazón de Mila-rayén, todavía palpitante, se estremecía como un pájaro agonizante sobre el altar del indiferente *Nguenechén*.[5] Poco a poco el horror de lo que habían hecho fue calando hondo en el alma de los ancianos y las mujeres de la tribu y, mientras bajaban lentamente por las laderas del monte, un silencio sepulcral pareció abatirse sobre la serranía.

"De repente, la Tierra misma pareció estallar en pedazos; relámpagos como latigazos de fuego cruzaron el cielo; los cerros mismos se estremecieron hasta sus mismas entrañas, y la sierra escupió enormes rocas que cayeron al abismo que se abría debajo de ellas, en medio de un estruendo sobrecogedor. Aterrados, las mujeres envidiosas y los ancianos del Gran Consejo comprendieron que era *Ñancú*, el ave sagrada de los *mapuche*, la que desencadenaba sobre ellos la furia de *Nguenechén*, en castigo por el injusto e inútil sacrificio que él no había solicitado.

"Mientras tanto, en la cima del cerro, el pequeño corazón aún tibio comenzó a crecer y crecer, como en un pavoroso milagro. Creció y creció, hasta convertirse en un inmensa víscera de roca que se balanceaba en las alturas, apenas apoyado sobre el agudo vértice de una piedra.

"Y así permaneció durante siglos, hasta que un día, cansado de latir, el corazón de Mila-rayén cayó al abismo la tarde del 29 de febrero de 1912, muchos años después que su tribu *mapuche* hubiera sido expulsada de sus tierras por el *huinca*, a pesar de su sangriento sacrificio.

"Hoy, los geólogos y geofísicos justifican mediante kilómetros de sesudos jeroglíficos matemáticos la caída de la Piedra Movediza del Tandil, pero los poetas y los indios sabemos que lo que en realidad sucedió aquel día, fue que el corazón de Mila-rayén, agotado por su martirio inútil, simplemente dejó de latir.

"–¡Ah! ¿Y sabés otra cosa? –me preguntó antes de irse, dejándome pagar los cafés como retribución a sus narraciones–. Si no fuera porque esta leyenda viene de muchos siglos atrás, podría decirse que es casi un augurio de lo que sucedió realmente con los *huinca* y las tribus pampeanas, ¿no es cierto?".

## LA LLORONA

*Si bien la de La llorona es una leyenda clásica del sur de la provincia de Buenos Aires, muchos autores, como Canal Feijoo, por ejemplo, la consideran como una versión más de La viuda, un personaje mítico cuya mayor difusión se da en la Región Noroeste. Cabe destacar que las distintas representaciones difieren casi exclusivamente en detalles, y que el personaje aparece también en las tradiciones de otros países, donde se la conoce bajo el mismo nombre.*

Según rezan las versiones más difundidas de la leyenda, La llorona es una mujer vestida enteramente de blanco, alta y esbelta, pero sin rasgos faciales y, generalmente, también sin pies, ya que se desplaza sobre el piso sin rozarlo. Su nombre proviene de los gemidos que emite constantemente y que enloquecen a los perros, mientras deambula por las noches, especialmente durante las noches de luna llena. Para la mayoría de los narradores, su presencia implica desgracia, ya que se acerca a las casas para enfermar a los sanos o empeorar a los enfermos, y cruzarse con ella en el campo significa la muerte o una desgracia fatal a un ser querido. La forma en que se la puede hacer retroceder es mostrándole un crucifijo de plata o, simplemente, la cruz del cuchillo.

No obstante, existen otras versiones que la convierten de mensajera de la muerte en una vulgar salteadora, ya que con sus gemidos despierta la piedad de la gente, que se acerca a consolarla o auxiliarla, y entonces les roba todo lo que llevan encima, incluso las ropas.

Se dice que su origen proviene de un castigo divino, a causa del cual debe peregrinar por el mundo, llorando y buscando eternamente a un hijo recién nacido, al que arrojó a las aguas del río para ocultar su pecado. También se comenta que su penitencia incluye el deber de castigar a los mozos que andan en amoríos prohibidos, subiéndose a las ancas de sus caballos y envolviéndolos en un abrazo helado, que en algunas ocasiones resulta mortal. Algunos afortunados que relatan haberse salvado de su gélido abrazo letal, comentan haber oído detrás de sí un ruido como el de una bolsa de huesos o algo similar.

## EL LOBISÓN

*El mito del perro transformado en fiera, como servidor de* Mandinga, Satanás, Zupay, Añá, Huecuvü *o* El Diablo, *según se prefiera, no es nuevo en la mitología, y se remonta a guardianes demoníacos como el Can Cerbero, y la leyenda del hombre-perro (o licántropo, como ha tratado de definirlo la ciencia) ha adoptado, según los distintos autores, la mencionada tradición greco-latina (Cámara-Cascudo), los orígenes escandinavos del perro de Odín, el* loupgarou *francés o el* lobis-hómem *de Menéndez y Pelayo.*

*Como consecuencia de estos antecedentes, no es de extrañar que la del* lobisón *sea otra de las más difundidas de las leyendas argentinas, y que se haya extendido a todo el territorio del país, aunque en algunos lugares está asimilada a la de El familiar, personaje mítico casi exclusivamente restringido a la Región Noroeste, con algunas esporádicas apariciones en Santiago del Estero y el oeste de Santa Fe. En esta oportunidad lo hemos incorporado a la Región Pampeana porque las narraciones aquí mencionadas provienen de distintos puntos de esta región.*

*La que veremos a continuación fue registrada en los pagos de Quilcó, en la zona central de la provincia de Buenos Aires, a orillas del arroyo del mismo nombre. Su narrador fue Alejandro Vilches quien, a pesar de sus escasos 16 años era (hecho muy de destacar) poseedor de un amplio bagaje de relatos de sucedidos, relaciones y leyendas de la Pampa Húmeda.*

–Cuando en una familia nacen siete hijos varones seguidos (y especialmente si son los siete primeros), de seguro que el último es lobisón, como también pasa con las chinas, que se hacen brujas. Entonces, cuando ya va llegando a hombre hecho y derecho, los viernes (y a veces también los martes) de luna llena, a la media noche, que es la hora de la Salamanca, se *emperra*, quiere decir que se convierte en perro, aunque a veces también en chancho, o en algún animal raro, mezcla de los dos.

"Según cuentan los que saben, el lobisón puede ser bayo,[1] marrón o negro –aclaró Alejandro ante la pregunta inevitable–, según sea su color de piel cuando está de cristiano,[2] si blanco, tirando a morochón o más bien negro.

"Una vez que se ha convertido, sale por las calles del pueblo, mata a los niños que no están bautizados y ataca a las mujeres y los hombres que encuentra a su paso.

–¿Y hay algún modo de curarlo de su estado?

–La única forma de que se le pase y que no vuelva a "emperrarse" es hiriéndolo con un cuchillo que ha sido mojado en agua bendita; entonces recobra la forma de cristiano y se muestra muy agradecido con el que lo salvó. Cuando le brota la sangre se cura; pero el que lo haga tiene que ser muy valiente, porque si falla, el lobisón, cada vez que se "emperre", tratará de matar a su salvador y a su familia. Por eso es que no son muchos los que se animan a herirlo para salvarlo.

*La segunda leyenda proviene del pueblo de Buta Ranquil, en la provincia de La Pampa, casi en la frontera con Neuquén. Fue contada por doña Eulalia Pallero, de 87 años de edad, y contiene una detallada descripción del fatídico personaje.*

–Cuando ya si'a emperrao –comenzó la anciana– toma la forma de un perro ovejero muy grande, de pelo negro y duro como crines, cogote grueso y tamañas orejas que le tapan la cara y resuenan como palmadas cuando sacude la cabeza. Las patas también son enormes y tienen uñas grandes y afiladas, como las de los liones del monte. ¡Y ni que hablar de los ojos, vea! ¡Coloraos como tizones del infierno, que parecen que sueltan un llamerío de furia cuando lo miran a uno!

"Cuando yo era *gurisa*,[3] no hace tanto tiempo atrás –se atajó doña Eulalia, con una sonrisa pícara–, por acá, por el pueblo, supo suceder una historia de lobisón. Fue por los pagos del Ñiré-Co, donde vivía una mujer muy trabajadora con su compañero de muchos años, con el que no habían tenido hijos.

"Ellos decían que no creían en el lobisón —agregó 'ña Eulalia, como criticando la ignorancia humana–, y por eso ella dormía tranquila cuando su hombre ensillaba el moro y enfilaba pa'l boliche, de donde sabía volver tarde y, a veces, un poco *mamao*.[4] Hasta que una noche de viernes, un poco pasada la hora'e las brujas, la mujer se dispertó sobresaltada al oír ruidos en el corral de la lechera. Se vistió como pudo, se tapó a medias con un poncho *pampa*[5] y salió p'al corral, justo a tiempo pa ver un perro negro, muy grande, que trataba de saltar la cerca'espinillo.

"Con más susto que puntería le vació los dos caño'e la escopeta, pero el perrazo siguió corriendo como si nada. Es que al lobisón –aclaró en beneficio de los "puebleros" que estábamos allí reunidos– no le hacen mella los tiros, si no son con balas consagradas o, al menos, remojadas en agua bendita.

"Al contrario –siguió la narradora–, al escuchar los estampidos, el perro enderezó pa su lao pero ella consiguió meterse a tiempo en la casa y cerrar la puerta, justo cuando el lobisón le tiraba un tarascón que arrancó una punta'el poncho, de color negro.

"Ya clareando el alba, cuando volvió su compañero, la mujer le contó el susto que le había dao aquel perrazo, que de seguro era el lobisón, pero el marido, bastante mamao, no le prestó atención y marchó directo pa'l catre.

"Pero a la mañana siguiente, cuando la mujer se levantó y le llevó el primer mate al marido que dormía, vio que el hombre apretaba entre los dientes un trapo negro que, cuando lo miró más de cerca, le hizo brotar un sudor frío: ¡era el pedazo'e poncho que el lobisón le había arrancao de un mordisco! Aterrorizada al darse cuenta de que su marido era el lobisón, salió corriendo a pedir socorro, con lo que le salvó la vida, ya que uno de los milicos que llegó llevaba con él un facón bendecido, con el que le hizo un corte en un brazo, curándolo así de su enfermedá".

# Notas

## Encuentros cercanos con los "tinguiritas"

1. Los Toldos: población del norte de la provincia de Buenos Aires donde recalaron los últimos pampas aniquilados por lo que se dio en llamar la Conquista del Desierto.

2. Estos seres son hijos de la tierra, a la que cuidan como a una madre. Preservan también el agua, la preciosa agua cristalina, cada vez más escasa que se esconde en los ríos invisibles, una verdadera red de canales allá abajo. Cada uno nace para cuidar su parcela. Tienen ceremonias, oraciones, libros mágicos donde guardan sus tradiciones para pasarlas a sus descendientes. Nacimiento y muerte son para ellos fiestas paralelas, una se recicla en la otra, en la eterna rueda que no cesa de girar jamás, alimentándose en sí misma. Muerte y nacimiento: dos caras de la misma moneda.

## La piedra movediza del Tandil

1. *Pampa*: palabra *quechua* que significa llanura, tierra llana cubierta de pastizales.

2. *Coipo* o *coipú*: zool., *Myocastor coypus*; uno de los roedores más grandes de América del Sur, de rabo pelado y escamoso, extremidades palmeadas y piel muy apreciada, que se comercializa bajo el nombre de "nutria" o "falsa nutria".

3. *Nahuel*: nombre *mapuche* del *Felis onca jaguar* o "tigre americano", hoy desaparecido en territorio patagónico.

4. Nombre propio, compuesto por los términos *mila*: "oro", "dorado" y *rayén*, un tipo de flor.

5. *Nguenechén*: literalmente, "dueño y dominador de la gente"; representa la deidad principal en la cosmogonía *mapuche*.

## El lobisón

1. *Bayo*: pelaje de caballo de color marrón amarillento, a veces con la cola y la crin rubias.

2. Término utilizado como sinónimo de "hombre blanco".

3. *Gurisa* (masc.: *gurí*): término de origen *tehuelche*, que significa "niña" o "mujer adolescente".

4. *Mamao*: expresión muy difundida en la provincia de Buenos Aires, por ebrio, beodo.

5. *Poncho pampa*: poncho blanco con guardas negras (o viceversa), con dibujos geométricos rectilíneos.

# REGION PATAGONICA

# Tribus que poblaron la región patagónica

1 Mapuches-
  Picumches

2 Mapuches-
  Huiliches

3 Mapuches-
  Pehuenches

4 Tehuelches
  septentrionales

5 Tehuelches
  meridionales

6 Guenneken

7 Tzonekas o
  Chonekas

8 Selk-nam u Onas

9 Yamanás

# La amistad de Limay y Neuquén

*En la frondosa imaginería* mapuche, *prácticamente cada lugar, cada animal, cada planta y hasta cada roca, tienen una leyenda que relata su creación y la razón de su existencia, circunstancia de la que no podían estar ausentes los dos ríos más importantes de la geografía nor-patagónica: el Neuquén y el Limay.*

*Ahora bien, considerando que esas leyendas surgen de la vida misma de los pueblos, no es de extrañar que algunas de ellas relaten hechos festivos, otras sean simplemente narrativas y muchas se originen en pasiones humanas, que pueden involucrar actos de abnegación, amistad, valentía, honor, sacrificio, renunciación y, en algunas de ellas, una conjunción de varios de estos sentimientos, como sucede en la historia del Limay y el Neuquén. Veamos la leyenda, tal como la relató doña Mercedes Alluelef, una kushe (anciana) de la comunidad picunche de Cayulef, departamento de Catal Lil, Neuquén.*

Neuquén y Limay eran dos jóvenes *inalonkos*,[1] que tenían sus toldos uno al norte y el otro al sur. Eran grandes amigos y siempre solían salir juntos a cazar, hasta que un día, mientras andaban detrás de un *luan* (guanaco), escucharon una dulce canción que provenía de la orilla del *Huechulafken*, el Lago Alto. Inmediatamente se dirigieron hacia el sonido, y sus ojos se abrieron asombrados al descubrir la más hermosa *üllcha domo*[2] que sus ojos hubieran visto jamás. Atónitos ante aquella aparición de enormes ojos y trenzas renegridas, Limay fue quien recuperó primero la palabra:

—¿Cómo te llamas? —preguntó a la joven.

—*Raihué* [3] —contestó ella, mientras sus párpados velaban tímidamente sus pupilas de obsidiana.

Ambos guerreros experimentaron simultáneamente la punzada del amor, y ya de regreso a sus rucas sintieron que las primeras serpientes de los celos comenzaban a anidar en sus corazones. Poco a poco su distanciamiento se fue agravando; ya no salían juntos de cacería, y su antigua amistad se resentía a ojos vistas, a tal punto que sus padres no pudieron menos de notarlo. Ansiosos de remediar la situación, que, además de herirlos personalmente, corría el riesgo de socavar la sólida alianza entre sus pueblos, decidieron de común acuerdo consultar con una *machi*,[4] la que les explicó en detalle el origen de aquella enemistad y propuso que sometieran a sus hijos a una prueba.

–¿Qué es lo que más te gustaría poseer? –preguntaron a *Raihué* como inicio de la prueba.

–Una caracola para escuchar el rumor de las olas al acercarla a mi oído– contestó ella sin vacilar, mientras los padres sonreían satisfechos al advertir la humildad de la muchacha.

–El primero que llegue hasta *Fütalafkën* y regrese con lo solicitado por *Raihué* la obtendrá como esposa –dictaminaron los *lonkos*, tras de lo cual los jóvenes, por consejo de los dioses, fueron convertidos en ríos por la *machi*, para que así, uno desde su *mapu* en el norte y el otro desde la suya en el sur, pudieran iniciar el largo y accidentado viaje hacia el mar.

Todo comenzó como había sido planeado, pero nadie había imaginado que *Cüref*, el viento, se sentiría postergado por no haber sido consultado, y comenzaría a susurrar mensajes de desgracia en los oídos de *Raihué*, sin que ésta se percatara:

"Neuquén y Limay jamás volverán... –le insinuaba sutilmente, una y otra vez. Las estrellas que caen al mar se convierten en *huen hueshá*,[5] que seducen a los jóvenes que se aventuran en sus orillas, atrayéndolos y esclavizándolos en el fondo de las aguas. Nunca más volverás a ver a ninguno de los dos...".

Poco a poco, el corazón de *Raihué* se fue marchitando de angustia y de dolor ante estas insinuaciones, y al ver pasar el tiempo sin que ninguno de sus enamorados regresara, se dirigió un día a la orilla del Lago Alto, donde todo había comenzado y, extendiendo sus brazos, ofreció a *Nguenechén*, el Dios Todopoderoso, su vida a cambio de la salvación de los dos *inalonkos* perdidos.

El dios, indiferente en su divina omnipotencia a los dolores y sacrificios de los humanos, sin embargo, accedió a su pedido y la convirtió en una hermosa enredadera, cuyas raíces fueron penetrando la húmeda tierra, sus ramas se elevaron al cielo como antes lo habían hecho sus brazos, su boca se abrió en una roja y pulposa flor, y sus ojos negros se conviertieron en frutos dulces como la miel: había nacido el *michay*.[6]

*Cüref*, no contento con su traición, voló a contarles a los jóvenes lo que había sucedido, para lo cual sopló y sopló para desviar sus cursos y poder darles la infausta nueva a los dos juntos; y así fue como Limay y Neuquén, al enterarse de que *Raihué* había muerto, se abrazaron estrechamente para brindarse mutuo consuelo, y así, unidas sus aguas para ya no separarse más, marcharon juntos hacia el mar, vestidos de luto por la pérdida de su amada, dando así origen al caudaloso Río Negro.

## CUANDO SE VINO LA GRAN NOCHE

*La diuca canta al amanecer, dice el cristiano.*
*El mapuche corrige: la diuca canta para que amanezca.*
*(Contado por Edgar Morisolo - Santa Rosa - La Pampa)*

Hace siglos, cuando aún el tiempo no se contaba con meses ni estaciones, había un lugar y un pueblo. Sus habitantes labraban la tierra y criaban el ganado que les daba la leche para sus hijos, la lana para abrigarse, y sólo en la medida justa para el alimento, carne sabrosa y tierna, y también los cueros para la *ruca*.

*Küyén*[1] presidía cada noche a su gente desde arriba, los guardaba con el descanso de las sombras y los protegía de los ardores del sol, que traía fatigas y campos estériles.

Y cada madrugada la *diuca*[2] despertaba cantando. Entonces amanecía. Durante los inviernos, la *diuca* se amodorraba en el nido tibiecito. Le costaba abandonar su camita de pluma y paja blanda. Por eso el amanecer llegaba más tarde que en los veranos ardientes, cuando la avecilla alzaba vuelo temprano, deseosa del rocío de la mañana.

Y aunque el tiempo no se contara por meses ni estaciones, hacía calor y hacía frío, como en todos los tiempos, y cuando hacía calor, la gente le pedía a la *diuca* que durmiera un rato más cada mañana para prolongar el goce fresco de las sombras.

Vaya a saberse cuál fue el motivo, un día *Küyén* tuvo un serio disgusto con *Antü*, el sol. Y *Antü* largó sus rayos conjurando las lumbres del infierno.

Los campos perdieron el verdor de sus pastos, el maíz se hizo chala sin fruto, las aguadas se secaron y los animales empezaron a morir, vencidos por la sed y el calor.

*Küyén* intentaba defender a su pueblo, pero era difícil calmar las iras de *Antü* y traer la noche bienhechora con sus horas de paz y de descanso. *Antü* se obstinaba en alumbrar hasta muy tarde. Dicen algunos ancianos que a la medianoche el sol brillaba casi tanto como a las cinco de la tarde.

La gente, desesperada, imploraba a sus dioses y a *Küyén*, a los espíritus de sus antepasados y a *Nguenechén*,[3] y dicen que hasta el *Ivunche*[4] fue convocado por sus ruegos, pero ni siquiera él pudo con un *Antü* furioso y encaprichado.

Cuando ya parecía que las cosas no podían estar peores y el pueblo sólo se preocupaba por encontrar un pedazo de sombra que lo protegiera un poco, alguien dijo las palabras mágicas.

–*Diuca, diuca* –murmuró una anciana tirada bajo una mata seca–. *Diuca, diuca*, por favor no cantes mañana, espanta al sol con tu silencio, *diuca*, te lo imploro.

La gente empezó a andar despacito, buscando esa voz que les metía esperanza en los corazones cansados.

–¡La *diuca* –empezaron a gritar–, la *diuca*, eso es!

–Esa es la solución –dijo la *machi*[5] más vieja–, sólo ésa. La *diuca* debe callarse por unos días, hasta que la *Mapu* se enfríe un poco. Así conservaremos el agua que nos queda y hasta es posible que llueva si se enfrentan el calor del día y el fresco de la noche, de repente. Sí, señores, la solución sería ésa... pero ¿cómo lograr que la *diuca* abandone su canto, siquiera por un día?

Carrilqueo, un guerrero hosco y resentido, dejó oír su voz y su propuesta.

–Las matamos –dijo–; sé dónde anidan y no va a ser difícil.

Las *machis* se levantaron indignadas, y el consejo de ancianos y algunas gentes del pueblo. Matar las *diucas*, eso era un sacrilegio que disgustaría a la *Mapu*. Entonces, ¿qué sería más terrible, la furia del sol o las maldiciones de la tierra?

–¡¡¡Insensato!!! –tronaron los ancianos del consejo. Pero algunos jóvenes ya empezaban a alistarse silenciosamente al lado de Carrilqueo.

Entonces habló Ipuhén, que llamó a razones con su palabra armoniosa, mientras el *cultrün*[6] invitaba a serenar los pensamientos.

–Ha de haber otra manera –dijo Ipuhén–; nunca la muerte puede traernos soluciones.

Tras mucho deliberar, se optó por lo más sencillo. Si Carrilqueo conocía dónde anidaban las *diucas*, él podía conducir al pueblo hasta ese lugar.

¿Podría Carrilqueo? ¿Querría Carrilqueo?

Carrilqueo refunfuñó un poco y después asintió, sintiéndose orgulloso, que a fin de cuentas él podía guiar a su gente en ese trance.

Y allá fue el pueblo, hasta la morada de las *diucas*, más allá de los medanales, donde los algarrobos desplegaban sus ramas, cobijando a los pájaros.

–Hay que llegar antes de que despierten –dijo Carrilqueo –y convencerlas con un buen argumento. Se les puede ofrecer algo o que ellas pidan lo que deseen; habrá de verse.

Y llegaron cuando las *diucas* dormían, pero al escuchar las voces del pueblo que las llamaba quedamente, cantaron. Y *Antü* largó una carcajada desdeñosa; otra vez se salía con la suya.

–A no desesperar –se dijo el pueblo–; tantos calores hemos resistido, uno más...

Las *diucas* escucharon la súplica del pueblo y entendieron. La *Gran Diuca* propuso una reunión entre los suyos y que esperaran. Y el pueblo esperó hasta la noche.

Cuando la *Gran Diuca* (que no era más grande que el puño de una niña de seis años), cuando la *Gran Diuca* habló, todos los ojos estaban fijos, expectantes, y los corazones sonaban desbocados, ardiendo de esperanzas y temores.

–Querido pueblo, las *diucas* hemos acordado colaborar –dijo la *Gran Diuca*.

Un grito estremecedor interrumpió el discurso y hasta los guerreros lloraron de agradecimiento y empezaron a hincarse.

–Pero no se adelanten, hay una dificultad –continuó la *Gran Diuca*, entristecida. El desaliento calló las bocas de la gente que ya no se animaba a preguntar.

–Es nuestra memoria, ¿saben? ¿Cómo hacer para despertarnos calladas? Durante miles de años hemos despertado y cantando hacemos que el día se despierte y amanezca. Hemos de corregir nuestra memoria, entonces. Va a ser difícil abrir los ojos en silencio, y acordarse, antes de hacerlo, de que no hay que cantar,

¿y cómo vamos a abrir los ojos sin el canto, que ayuda a descorrer las nieblas de la noche y da luz a nuestras pupilas?

Las deliberaciones fueron largas y cavilosas. Tan largas y cavilosas que las gentes empezaron a sentir sueño y a extrañarse porque el día no llegaba.

Festejaron con alborozo, danzas y cantos la exitosa prolongación de la noche bienhechora. Sólo las *diucas* celebraban en silencio, temerosas de atraer a *Antü* y sus furias si se les escapaba un trino.

Y festejando pasaron varias jornadas. Guerreros y ancianos, mujeres y niños se turnaban para susurrarle a la memoria de las *diucas*, cuando ellas se dormían un rato, cansadas y felices.

–Duerme, *diuca*, duerme, descansa –les susurraban. Y después, temerosos del amanecer, agregaban–: Acuérdate, *diuca*, llámate a silencio.

La Gran Noche había llegado. El pueblo bendecía las sombras y agradecía a las *diucas* trayéndoles el grano y algún brote que la casualidad, más que la agudeza de los ojos, les había hecho encontrar. Poco a poco la Mapu se fue enfriando, y su piel se agrietó más aún con la guerra entre el calor y el frío.

Cuando las *diucas* lloraron de tanto silencio y oscuridades, volvieron a reunirse las machis y el consejo de ancianos y las gentes.

–La noche debe terminar –decidieron–, las *diucas* están arriesgando por nosotros su memoria y su naturaleza. No sería justo que olvidaran su canto. Eso no podríamos cargarlo en nuestras conciencias. Esperemos que *Antü* haya aprendido la lección y no nos castigue de nuevo con sus iras.

El pueblo entero voceó las buenas nuevas y la *Gran Diuca* invitó a las gentes a cantar con ellas para que amaneciera el nuevo día.

*Antü* apareció tímidamente en el horizonte, y dicen que por un largo tiempo se iba a dormir temprano tras la montaña. Tampoco lanzaba sus fuegos iracundos.

Fue una hermosa temporada. Los prados se llenaron de verde. La tierra agradecida brotó en las especies más exóticas, en las flores más espléndidas. Hubo lluvias y vientos y frutos que iban madurando.

La gente se dio cuenta de que venían tiempos nuevos. Así fue como llegó la Primavera a estas tierras y cada verano *Antü* se da el gusto de gastar sus rabias sin traer desastres, y las *diucas*...

Las *diucas* siguen fieles a la memoria de su estirpe, que callaron sólo para conjurar males pasajeros. Y gracias a su memoria cantarina seguirán llegando los amaneceres, cada día.

## EL *NGÜRÚ* Y EL *CHOIQUE*

*Entre las tradiciones mapuche existe una sola manifestación que pueda considerarse tan difundida como la leyenda, y es la fábula, es decir, el cuento de animales contado con un fin moralizador o, al menos, didáctico. Como no podía ser de otra forma, en los cuentos* mapuche, *al igual que en los de muchas otras culturas en todo el mundo, el protagonista principal suele ser el* ngürú, *el eterno pícaro, timador, mentiroso pero simpático zorro, al cual se le atribuye un talento especial para embaucar a los otros animales, ya sea para comérselos o para escapar a celadas o trampas que ellos le tienden.*

*La presente versión,. "arrimada" esta vez por un experto en el tema, Armando De Rensis, licenciado en sociología y antropología, mantiene intacta la frescura de la narración original, contada por Marcelino Aillapán,* challafe (alfarero) *y artesano tallador de la comunidad* mapuche *de Hiengueigual, allá por los pagos de Pichileufú, provincia de Río Negro.*

"Hacía mucho tiempo que el *ngürú*[1] le venía haciendo la ronda al *choique*[2] –aclaró Marcelino, antes de comenzar la narración–, pero hasta ese momento ni lo había intentao siquiera, porque había oído las mentas y sabía que no tenía ni pa empezar. Hasta que un día se lo encontró en la aguada, y entonces diz'que pensó el zorro: 'Muchas veces lo he campaneao, pero nunca lo pude encontrar cerquita y solo. Si no lo agarro'horita, no lo agarro nunca más...'"

"Así que se le fue poniendo a la par y le buscó conversación:

–Buenos días, compadre, y con licencia. Y disculpáme'l atrevimiento, pero, ¡qué feas que tenís las patas! ¡Se ve que se te ha partido el pellejo por correr entre las piedras del campo!

–Bueno –contestó medio amoscao el *choique*–, no cualquiera puede tener el calzadito que vos tenés, que andás de botita.

"Y entonces el *ngürú* va y le dice –continúa don Marcelino:

– ¿Y por qué no te hacés un zapatito entonces, compadre?

–Pues porque no sé hacerlos –le contestó el *choique*, cada vez más cabrero.

–¡Pero no te vas'acer problema por eso! –saltó el *ngürú*–. Buscáte un ternero o una vaca muerta y sacáles un pedazo'e *hueku*,³ que entonces yo te hago el zapatito.

"Y entonces el ñandú, creído que el zorro le iba a hacer, nomás el calzado, encontró una *waca*⁴ muerta, le sacó un pedazo de cuero y se lo llevó al *ngürú*, que estaba esperando en la aguada.

–Aquí te traigo el *hueku* –le dijo.

"El *ngürú*, ladino –sentenció el alfarero en su papel de narrador–, se fijó que el cuero estuviera bien fresco, y le hizo una par de botas al *choique*, que reconoció que le quedaban que ni pintadas. Pero ustedes saben que el *hueku* se va encogiendo y endureciéndose cuando se seca, así que el pobre ñandú no había hecho más que unos pasos cuando las botas empezaron a apretarle las patitas. Hasta que se le apretaron tanto, que ya no pudo caminar más. ¡Arrastrándose iba el pobre, vea, tratando de llegar a su *ruka* para sacarse las botas!

"Pero el zorro, que no era ningún zonzo, no le perdía pisada, y cuando vio que ya no podía correr, se le acercó y se lo comió".

## AMANKAY Y EL *TRAUKO*

*El* Trauko *es uno de los personajes más conocidos (y también temidos) del folklore patagónico, y tiene como ayudante nada menos que al* waca mammull,¹ *uno de los seres más pérfidos y horrorosos que ha acuñado la imaginería aborigen. El hábitat del aterrador Trauko abarca toda la Región Patagónica, ya que sus andanzas se cuentan desde el Neuquén hasta Tierra del Fuego, e incluso más allá, como pudimos apreciar en "El espantoso monstruo de la laguna".*

*Este "sucedido" fue narrado por Nicanor Onkoleo, peón nguiliche de la estancia "Telkien", ubicada junto a la ruta 40, sobre el arroyo del mismo nombre, en las cercanías del Lago Buenos Aires.*

Allá en las heladas tierras del confín del mundo, en el gélido territorio que hoy conocemos como provincia de Tierra del Fuego, a orillas de un pequeño lago perdido entre las altas cumbres, vivía un poderoso *toki*,² de nombre Ñirelef, cuyo *haruwen* abarcaba más tierras de las que podía alcanzar la vista de un hombre, y que tenía una hija, de nombre *Amankay*,[3] que era lo que más amaba en su vida.

Hasta el último *kona*[4] de la región sabía que aquellas tierras eran propiedad indiscutida de Ñirelef, y ningún *'alen*[5] en su sano juicio hubiera osado disputárselas. Pero también sabían que, en última instancia, el verdadero dueño de aquel bosque era el *Trauko*, y que ni siquiera el valiente e invencible *toki* era capaz de oponerse a esa supremacía.

El *Trauko* era petiso, casi enano, con una barba larga, muy larga, y un apetito tan largo como la barba. Andaba de noche y de día por los cerros, derribando árboles y cazando animales para comer. De todo comía el *Trauko*. A veces se oían golpes como mazazos o gritos en la *mahuida*,[6] y la gente decía: "Por a'i anda el *Trauko*, haciendo'e las suyas...".

Además, el *Trauko* tenía un ayudante, *Lafke Trilke*, que vivía en lo profundo del lago, excepto aquellas veces en que aguardaba una presa; entonces se tiraba en la arena, con la que se cubría para ocultarse. De grande era como un cuero de vaca, con uñas como ganchos en todo el borde y muchos ojos. Cuando atrapaba una presa, la envolvía y después iba rodando hasta el agua, donde se sumergía. Después seguía rodando por el fondo, hasta llegar a una cueva que tenía una salida en una isla, y allí le entregaba la presa a su amo, el *Trauko*.

Volviendo a Ñirelef, su hija Amankay iba con frecuencia al lago, donde se bañaba, cantaba y jugaba, pero un día tuvo la mala suerte que pasara por allí el *Trauko*, quien instantáneamente se prendó de ella y comenzó a planear la forma de llevársela. Para lograrlo recurrió a los servicios del *Lafke Trilke*, y los familiares nunca más volvieron a verla. Día y noche lloraban la madre y los hermanos, y todos ayudaron a buscarla, pero fue inútil. "De siguro se la llevó el cuero"– decían las viejas, y los hombres tiraron mucho *korkolën*[7] al lago para que el cuero se pinchara y desangrara al abrazar las ramas, pero no apareció ninguno de los dos.

Cuando el *hueku huekú*[8] llegó con la princesa, el *Trauko* fue a verla de inmediato, y le dijo que quería casarse con ella, pero ella lo único que hacía era llorar y llorar. De día, Amankay debía permanecer en la parte más honda y oscura de la cueva, para que no la vieran los que la andaban buscando, pero por las noches, cuando podía ver a *Küyén*[9] y las *huanguelén*,[10] Amancay, ahogada

en lágrimas, le pedía a *Uñelfé*, el lucero, que se la llevara de allí, porque no quería casarse con el *Trauko*.

Y tanto lloró y tanto imploró, que un día *Uñelfé* quiso conocerla y bajó por un rayo de *Küyén* y, luego de consolarla, le prometió que se irían juntos. Pero cuando emprendían la marcha, el *Trauko* se dio cuenta de la fuga, y quiso matar a *Uñelfé*; lo atacó con la *toki* cura,[11] pero *Uñelfé* se defendió con una lanza de luz que le había entregado *Küyén* y, antes de que amaneciera, el *Trauko* había muerto, y *Uñelfé* y *Amankay* se fueron juntos al cielo.

Algunos viejos dicen que el *Lafken Trilque* todavía anda por las orillas del lago, y que a veces aparece. Pero ésas no son más que monsergas de viejo...

## Notas

### La amistad de Limay y Neuquén

1. *Inalonko*: término compuesto por *lonko*, "cacique", e *ina*, "hijo".

2. *Üllcha domo*: lit., "joven virgen"; por extensión, se utiliza para las mujeres bonitas y en edad de casarse.

3. *Raihué*: término compuesto por la abreviatura de *raichi*, "flor", y *hué*, nuevo = "capullo".

4. *Machi*: hechicero de orientación shamánica, generalmente de sexo femenino, que se dedica a sanar enfermos, encontrar cosas perdidas, guiar a las almas de los muertos a su morada final, determinar las fechas de siembras y cosechas, encontrar caza y lugares de pesca, etcétera.

5. *Huen hueshá*: ser mitológico femenino, que vive en las aguas y seduce a los hombres para atraerlos a las profundidades; sirena.

6. *Michay*: más conocido como "calafate" *(Berberis Darwinii)*, con sus bayas, de color violeta casi negro, se hacen dulces y mermeladas.

### Cuando se vino la gran noche

1. *Küyén*: para los *mapuche*, la Luna, a la que consideraban esposa del Sol.

2. *Diuca*: ave pequeña, muy cantora, especialmente hacia el amanecer. Se la llama también "aurorita", y su nombre científico es *Diuca diuca*.

3. *Nguenechén*: véase nota 5 de "La piedra movediza del Tandil".

4. *Ivunche* (también *Imbunche*): ser mitológico *mapuche* al que se describe con una pierna en la nuca y la cabeza mirando hacia la espalda. Se lo considera un ser repugnante que asusta a las mujeres encintas.

5. *Machi*: véase nota 4 de "Cuando se vino la gran noche".

6. *Cultrün*: instrumento rítmico construido en base a una caja hemisférica de madera de miñui, lenga o raulí, con un parche de cuero de caballo o guanaco atado con tientos. En su interior contiene cuatro piñones pequeños de *pehuén* o piedritas, y se lo toca con uno o dos palillos, especialmente en la ceremonia del *nguillatun*.

### El *ngürú* y el *choique*

1. *Ngürú*: zool., *Lycalopex Azarae*; "zorro pampeano" o "zorro de Azara", muy numeroso en la precordillera patagónica en épocas de los *mapuche*.

2. *Choique*: ñandú.

3. *Hueku*: cuero, especialmente de ganado vacuno.

4. *Waka*: deformación del término español "vaca".

## Amankay y el *Trauco*

1. *Waca mammüll*: lit., de *waca*, deformación de "vaca" y *mammüll*, "madera"; ser mítico que adquiere diferentes nombres, como "palo vivo", *hueku huekú* o *lafke trilke*, y distintas formas, aunque la más frecuente es la de un "cuero vivo", como también se lo llama, en que adopta la apariencia de un cuero de vaca, con garras en los bordes para atrapar a sus víctimas, sobre las que se enrolla y las arrastra al fondo del lago.

2. *Toki*: jefe supremo de una tribu (*haruwen*) *selk-nam*.

3. *Amankay*: llamada también *liuto* (*Alstroemería aurantiaca*), es un arbusto ornamental de hasta 2,50 m de altura, con flores anaranjadas o amarillas.

4. *Kona*: hombre del pueblo, sin jerarquía militar, civil ni religiosa; también "joven".

5. *'Alen*: guerrero de baja graduación.

6. *Mahuida*: montaña, cerro alto.

7. *Korkolën*: bot., *Azara serrata*; arbusto de alrededor de 2,50 m de altura, con ramas muy espinosas.

8. *Hueku huekú*: sinónimo de *waca mammüll*.

9. *Küyén*: véase nota 1 de "Cuando se vino la gran noche".

10. *Huanguelén*: estrellas.

11. *Toki kura*: hacha de piedra.

# BIBLIOGRAFIA

ALVAREZ, Gregorio, *Folklore de Neuquén. El tronco de oro*, Universidad de Tucumán, Tucumán, 1963.

BENÍTEZ ARAUJO, Adolfo, *Entre mistoles y chacareras*, Ediciones Pereda, La Banda, 1937.

BLACHE, Martha, *Narrativas folklóricas guaraníes*, Plus Ultra, Buenos Aires, 1982.

BRAVO, Domingo, *Estado actual del quechua santiagueño - Cuaderno de Humanitas*, Universidad de Tucumán, Tucumán, 1968.

CÁCERES FREYRE, Julián, *Diccionario de regionalismos de la provincia de La Rioja*, Ediciones de la Dirección Provincial de Cultura, La Rioja, 1961.

CARRERAS Y CANDIL, Alfonso, *Leyendas populares españolas*, Ediciones La Castellana, Madrid, 1958.

COLLUCCIO, Félix, *Fauna terrorífica latinoamericana*, Crespillo, Buenos Aires, 1974.

COLOMBRES, Eduardo, *Mitos aborígenes argentinos*, Ediciones del Sol, Buenos Aires, 1983.

ELIADE, Mircea, *Los mitos del mundo contemporáneo*, Almagesto, Buenos Aires, 1991.

EQUIPO DE INVESTIGACIÓN NUEVA ERA, *Plantas que curan*, Ediciones Continente, Buenos Aires, 1997.

FARIÑA NÚÑEZ, Edgardo, *Mitos guaraníes: conceptos estéticos*, Imprenta Mariano Pastor, Buenos Aires, 1926.

FARO DE CASTAÑO, Teresa, *Magia, mitos y arquetipos*, Editorial Belgrano, Buenos Aires, 1983.

LOPEZ Y OSUNA, Evaristo, *Tradiciones correntinas*, Editorial Universitaria, Corrientes, 1981.

PEREYRA VILAS, Mario, *Mitos y leyendas riojanas*, Universidad Regional de La Rioja, 1959.

ROJAS, Ricardo, *El país de la selva*, Gillermo Kraft, Buenos Aires, 1959.

ROSASPINI REYNOLDS, Roberto C., *Shamanismo, pasado y presente*, Ediciones Continente, Buenos Aires, 1998.

SUTES, Adalberto M., *Cuadernos Salesianos Nº XXXIV*, La Rioja, 1973.

TERRERA, Guillermo, *Cuentos de la tierra argentina*, Plus Ultra, Buenos Aires, 1972.

VICUÑA CIFUENTES, Julio, *Mitos y supersticiones*, Editorial Nascimento, Santiago de Chile, 1947.

VILLAFUERTE, Carlos, *Aves argentinas y sus leyendas*, Corregidor, Buenos Aires, 1978.

# CUENTOS, MITOS Y LEYENDAS PATAGÓNICOS

**Nahuel Montes**

El relato de leyendas populares en nuestro país, y especialmente en la Patagonia, ha estado, desde muy antiguo, polarizado entre dos extremos: su conservación de generación en generación en forma oral, a la que muy poca gente tenía acceso, o su recopilación por escritores de alto vuelo intelectual, que las condimentaron con su estilo propio, en un esfuerzo por transformarlas en piezas "literarias" o "poéticas", perdiendo de vista su representatividad folklórica y su alcance popular.

Teniendo en cuenta estas circunstancias y respetando los lables (y escasos) esfuerzos que se han hecho en este sentido, este libro intenta superar esos extremos, al poner al alcance de todos este valioso testimonio de la cultura popular. Confiamos en que su contenido anime a nuestros lectores a profundizar en las leyendas argentinas y los ayude a descubrir el invalorable tesoro que ellas ocultan.

# MITOS Y LEYENDAS CELTAS

**Roberto Rosaspini Reynolds**

Con la sola alusión al término "leyenda" nos viene a la mente el concepto de sucesos fantásticos, míticos y exóticos; pero las tradiciones históricas celtas, famosas por sus acontecimientos guerreros, la intrincada belleza de su arte y su irreductible independencia, se destacan, además, por el carácter mágico y heroico de sus protagonistas.

Recopilados en libros como el *Ledhar Gabhallah* (Ciclo de las invasiones), el *Mabinogion*, o las sagas de CuChulainn, Ossian, Finn McCumhall y otras narraciones más modernas –pero no por eso menos mágicas y atrapantes–, los mitos y leyendas celtas nos transportan a un mundo de héroes, dioses y semidioses, pocas veces igualados en su bravura y su abnegación.

# CUENTOS Y LEYENDAS DEL ALTIPLANO

**Antonio Saravia**

Más allá de la contribución que este libro pueda hacer o no a los estudios folklóricos o antropológicos de la región del noroeste argentino, la principal preocupación del recopilador ha sido la de difundir los cuentos y leyendas de una cultura que, durante mucho tiempo, permaneció polarizada entre la narración oral –dirigida a un auditorio limitado– y la obra literaria escrita por autores que, si bien lograron una difusión masiva, al recrear los relatos, a menudo desvirtuaron su esencia.

Esta antología intenta recuperar el carácter originario de estos cuentos y leyendas y, al mismo tiempo, presentarles a los lectores algunos de sus personajes mágicos, que no tienen nada que envidiar a las más caras tradiciones europeas.

# CUENTOS CELTAS

*Relatos mágicos de*
*hadas y duendes*

**Roberto Rosaspini**
**Reynolds**

El mismo autor del libro *Cuentos de hadas celtas* nos presenta, esta vez, un espectro más amplio de la narrativa céltica, quizás la más prolífica y creativa de todo el hemisferio occidental, sólo comparable con la fecunda imaginería del Cercano y el Lejano Oriente, que dio a luz textos extraordinarios como *Las mil y una noches* y el *Libro chino de magia, amor y muerte*.

La presente selección, extraída de la obra de poetas y recopiladores del siglo pasado, nos permite así acceder a una serie de narraciones de la más variada concepción y temática, que abarcan desde druidas hasta brujas y hechiceros, y desde las hazañas guerreras hasta tiernas endechas de amor.

# CUENTOS Y LEYENDAS DEL LITORAL

## Wolko Lagos

La región del litoral argentino, en su mayor parte encerrada entre esas dos enormes serpientes de agua que son los ríos Paraná y Uruguay, ha dado origen a infinidad de cuentos y leyendas, muchas de ellas trágicas como la de La Viuda, otras descriptivas, como la del nacimiento de las Cataratas del Iguazú, pero todas, invariablemente, con un trasfondo poético que atrae y emociona a quienes las leen o tienen la dicha de escucharlas de boca de algún lugareño. En este libro se presentan algunas de las más conocidas, como las del Pombero o el Mburucuyá, y otras menos difundidas, como la del Mbaí-n-umbí (el picaflor) y la tierna historia del Isondú (la luciérnaga).

Esperamos que sean del agrado de nuestros lectores estos cuentos y leyendas litoraleños, como ha sido para el recopilador la tarea de reunirlos en esta antología.

# LOS CELTAS

*Magia, mitos y tradición*

## Roberto Rosaspini Reynolds

La mitología celta, al igual que sus usos y costumbres, constituye uno de esos temas prácticamente imposibles de resumir en un trabajo coherente, en parte por su amplia dispersión geográfica –con las consiguientes diferencias de estructura social, política y económica que eso conlleva– pero, fundamentalmente, porque los celtas estaban conformados como una etnia disgregada en cientos de pueblos, más que como una nación unida y homogénea.

La sociedad celta estaba formada por *"tribus o clanes separados, belicosos, turbulentos y guerreros, celosos de su independencia y antagónicos entre sí, no sólo por odios hereditarios y rivalidades coyunturales* (J. Vendryes), sino por su propia idiosincrasia guerrera, que los llevaba a luchar entre sí cuando no tenían un enemigo a mano.

Inmersos en un entorno evidentemente shamánico, en que los dioses luchaban a la par de los hombres, los pueblos celtas convivían, guiados por los druidas, con duendes, hadas, elfos, leprechauns y animales míticos que formaban parte de su vida cotidiana. Festividades mágicas, como la de Lughnassadh y Samhain (que luego diera origen al *Halloween* sajón), ponían en contacto a los hombres con los espíritus de sus ancestros y les permitían alternar con sus héroes y sus dioses.

Es de desear que este intento de poner a nuestros lectores en contacto con las tradiciones de un pueblo quimérico, como lo es el celta, los induzca a profundizar un poco más en el mundo del mito y de la magia, donde, sin duda, encontrarán la respuesta a muchos interrogantes y, lo que es más importante, quizás despierte otros que aún no han sido siquiera planteados.

# CUENTOS DE HADAS CELTAS

*Gnomos, elfos y otras criaturas mágicas*

## Roberto Rosaspini Reynolds

Las tradiciones celtas vienen tiñendo la esencia misma de lo que se conoce como cultura occidental, desde hace más de 4.000 años.

Sin embargo, aquellas antiguas costumbres y leyendas se habrían esfumado para el mundo actual si no se hubieran transmitido oralmente, al menos hasta la Edad Media, en que fueron recogidas por los monjes cristianos, aunque deformadas por la fábula, el mito y las fantasías del recopilador.

Entre los cuentos de la rica tradición celta incluidos en este volumen, se destaca la intervención de los *elementales,* seres preternaturales asociados con lugares y ocupaciones específicas, de apariencia similar a la humana, pero más pequeños y dotados del poder de la magia **(hadas, gnomos, elfos, nereidas, sirenas, leprechauns),** que *poblaban (y* quizás aún pueblen) los bosques y las praderas irlandeses, galeses y escoceses.

En esta oportunidad, nos hemos limitado a hacerle llegar al lector sólo los relatos, despojados de sesudos análisis históricos o literarios, con el único propósito de que los disfrute. Si al leerlos, asoma a la mente adulta el agridulce y sutil regusto de la infancia, sin duda habremos logrado nuestro objetivo.

# OTROS TÍTULOS DE NUESTRA EDITORIAL